U0109779

民國歷史與文化研究

十　編

第2冊

「名」分「實」合——
20世紀初中國「無史」與「有史」論爭研究

范靜靜　著

20世紀20年代北大史學社會科學化改革新探

王郝維　著

花木蘭文化事業有限公司

國家圖書館出版品預行編目資料

「名」分「實」合——20世紀初中國「無史」與「有史」論爭研究　范靜靜 著／20世紀20年代北大史學社會科學化改革新探　王郝維 著—初版—新北市：花木蘭文化事業有限公司，2019〔民108〕
目2+90面／目2+58面；19×26公分
（民國歷史與文化研究 十編；第2冊）
ISBN 978-986-485-832-3／978-986-485-833-0（精裝）
1. 史學 2. 中國史／1. 北京大學史學系 2. 課程改革
628.08　108011575／108011581

ISBN-978-986-485-832-3

ISBN-978-986-485-833-0

民國歷史與文化研究
十編 第二冊　ISBN：978-986-485-832-3／978-986-485-833-0

「名」分「實」合——20世紀初中國「無史」與「有史」論爭研究
20世紀20年代北大史學社會科學化改革新探

作　　者　范靜靜／王郝維
總 編 輯　杜潔祥
副總編輯　楊嘉樂
編　　輯　許郁翎、王筑、張雅淋　美術編輯　陳逸婷
出　　版　花木蘭文化事業有限公司
發 行 人　高小娟
聯絡地址　235 新北市中和區中安街七二號十三樓
電話：02-2923-1455／傳真：02-2923-1452
網　　址　http://www.huamulan.tw　信箱　hml 810518@gmail.com
印　　刷　普羅文化出版廣告事業
初　　版　2019年9月
全書字數　81116字／47196字
定　　價　十編3冊（精裝）　台幣6,500元

「名」分「實」合——
20世紀初中國「無史」與「有史」論爭研究

范靜靜 著

作者簡介

范靜靜（1993～），女，山東淄博人。本科畢業於山東師範大學歷史與社會發展學院歷史學專業。碩士畢業於山東大學儒學高等研究院中國史專業，師從李揚眉副教授，主要研究方向爲 20 世紀中國學術史。

提　　要

1901 年，中國「無史」和「有史」的論爭登臺，吹響了國內舊史批判的集結號，成爲正式回應域外史學的第一個標誌性事件。作爲「新史學」和「史界革命」的提出者，梁啓超同時又是「無史」概念的倡導者，更是整場論爭的引領者。同期同地，最早在文本中運用「中國無史」的趙必振和堅持無民史的馬君武率先作出響應。論調的產生，一方面受到國內反對君史氛圍的影響，另一方面是因國外日本「無史」說和「中國停滯」論而起。此後，鄧實與馬敘倫分別成爲對立兩方的代表，展開激烈論辯，究其同異，在兼採西學之餘，皆痛陳舊史弊病，本質之別不在是否倡議而在如何建立新史學。除此之外，還有很多其他學人也陸續參與進來。相比於發起階段，這一時期的爭辯範圍極大擴展，參與者的身份也趨於多重，但兩方既非鐵板一塊，也非彼此絕緣，觀點互有交織，甚至存在答非所問的亂象，突顯出過渡時代思想的複雜糾纏。「空言」之下，戰線擴展，雙方開始編纂新體中國史的實踐，相連交互，終是殊途同歸。整體地看，論爭既是新史學運動的關鍵，又是相對獨立的一角。終結不意味著清算舊史的終止，而是實質性第一步的邁出。

目次

導　言

第一節　研究緣起

無可諱言，從此時的這一秒回望人類的萬年史，論爭渺小到不值得一提。若切出 20 世紀的一百年，似乎能夠考慮給它一個位置，但一定是在不那麼起眼的邊緣。再聚焦至一百年中前十年的史學，重要性開始凸顯，搖身一變，儼然成爲不容忽視的角色。意義在比較中產生，某種程度上，歷史本身的這種相對性賦予了給定歷史界標的合理性。那麼，從論爭出發放眼整個新史學的發展，也就具有了獨立研究的空間和必要。

歷史問題從不單單是一個歷史問題。以學術和社會的雙重角度，史學和政治不論是誰「綁架」誰，目的只有一個，即是「變」：把「有」變作「沒有」，把「沒有」變作「有」。二者同步進行，互有糅合，衝突與一致都被匯入「救國」主題之中。

學術層面，伴隨政治變動，求眞性和致用性一面彰顯而另一面潛伏。乾嘉考據的潮退之後，經世學問漸回中心，危機愈烈，致用性就愈強，「無史」論調的出現便可看作是將致用發揮到極端的產物。與此對應，求眞性的相對隱去不意味著所屬話語權的喪失，作爲反對派的「有史」聲音便可大致視爲追求求眞性的體現。要注意，轉型時代中的「求眞」不免會戴上「致用」的枷鎖，甚至會成爲「致用」的俘虜，致使結果背離初衷。由此，「有史」一方也並非全然是從學術的立場予以回擊，論調背後同樣有著現實訴求，只是相較之下更顯求眞的性質而已。社會層面，19 世紀中葉的主要問題在「清朝向何處去？到了1900年這個問題就變成了『中國向何處去』[註1]。「清朝」向「中國」的轉變，在表明現代國家意識出現的同時，也暗含了推翻滿清重建漢族政權的革命意蘊。隨之而來，「國民」和「種族」兩個概念開始「甚囂塵上」，借用此種視角重審已有史書成爲「無史」一方的重要憑據。與此對應，「有史」一方並非通過否定二者證明自身的合理性，而是盡可能挖掘原有史書中所具有的「國民」色彩來回擊對方。所以，兩方的分歧不在於政治立場的迥異，而在於如何利用學術爲現實服務。

不論是學術還是社會的轉變，也都不再單單是一個國內問題。以19世紀爲折點，軍事方面的屢屢挫敗在加劇政局動蕩之餘，知識分子開始對文化作出深入反思，史學因其致用特性而受到格外關注。同期，西方史學已基本完成歷史學科化和研究科學化，陸續建立起現代意義上的歷史學，突出表現在西方中心下的文明進化歷史觀的確立。由此，「中國停滯」的論調逐成西方世界的共識，進而轉借日本影響到國內論爭的形成。可以說，如果「無史」一方的本質是按照西方模式另立新史，那「有史」一方則是希冀通過改造舊史重建新史，雙方都不同程度地利用西方觀念作爲批判傳統史學的武器。

回歸延續「新史學」路徑的當代史學，百年之隔，主題雖變，但如何更好地處理中西和中國史學的內部矛盾仍是難解之題。基於此，加強論爭研究具有一定的現實意義。

第二節　研究回顧

有關該論題的研究情況，擬從著作與論文兩個部分進行述評。

（一）著作成果

直涉此論題的著作成果，主要內含於中國近現代史學史、史學思想史及學術史的書寫中，尤以對20世紀初新史學思潮的論述最爲突出。[註2]

[註1] （美）柯文：《在中國發現歷史——中國中心觀在美國的興起》，北京：中華書局，2002年，第12～13頁。

[註2] 該論題作爲中國近現代史學中繞不過去的客觀存在，必然會出現在涉及此方向的大多數著作中。考慮到與論題的相關度較低，僅在此列出主要著作：張國剛、喬治忠等：《中國學術史》，上海：東方出版中心，2002年；白壽彝主編：《中國史學史》，上海：上海人民出版社，2006年；李孝遷：《西方史學在

新中國成立至20世紀末，研究剛剛起步。主要著作有胡逢祥、張文建合著《中國近代史學思潮與流派》和俞旦初《愛國主義與中國近代史學》。前者簡要列舉梁啓超、馬君武及黃炎培等人的「無史」觀點並結合日本文明史學對中國史學界產生的影響，認爲福澤諭吉等人的日本「無國史」主張促進了當時中國「興起的批判封建舊史學風氣」。〔註3〕後者則以愛國主義爲主旋律，中外兩線雙管齊下，系統整理原始史料，從「民史」發展、新史撰寫等角度面面滲透，對新史學思潮溯委窮源，在很大程度上填補了「那些同樣表現了一個時代的史學思潮的不著名學人的論著」的研究空白，提出「史學界對所謂中國『無史』問題的爭論」值得做進一步考察的學術論斷。〔註4〕可以說，這兩部帶有鮮明時代色彩的著作首開先河，尤其是對第一手史料的搜羅和理順，在某種程度上滿足了日後學者對文獻的基本需求，更爲繼續研究廓清了方向。

本世紀以來，研究明顯增多。王汎森在《晚清的政治概念與「新史學」》中提到「近代中國史學經歷過三次革命」，其中第一次史學革命爭論的焦點便是「中國究竟『有史』還是『無史』」，並將此置於清季政治思想與新史學關係的視閾下，著重闡釋其形成與衍化，點明「重心是重新釐定『什麼是歷史』」。〔註5〕朱發建《中國近代史學「科學化」進程研究（1902～1949）》結合社會背景和史學觀念的交互變化，將「無史」論的產生歸結爲以科學眼光與西方史學觀念來衡量中國舊史的必然結果，並認爲「史學革命」論應此而生。〔註6〕劉俐娜《由傳統走向近代——論中國史學的轉型》從歷史和邏輯兩個角度剖析各家觀點、釐清基本概念，重點考察20世紀前30年的史學變革，指明「無史」的題中之義是無「民史」、「國史」，無「能夠適應近代社會所需要的新史學」，

中國的傳播》，上海：華東師範大學出版社，2007年；吳澤主編：《中國近代史學史》，北京：人民出版社，2010年；喬治忠：《中國史學史》，北京：中國人民大學出版社，2011年；喬治忠、朱洪斌編著：《增訂中國史學史資料編年》，北京：商務印書館，2013年；謝保成：《增訂中國史學史》，北京：商務印書館，2016年；吳懷祺：《中國史學思想史》，北京：北京師範大學出版社，2016年。

〔註3〕胡逢祥、張文建：《中國近代史學思潮與流派》，上海：華東師範大學出版社，1991年。

〔註4〕俞旦初：《愛國主義與中國近代史學》，北京：中國社會科學出版社，1996年。

〔註5〕載王汎森：《中國近代思想與學術的系譜》，石家莊：河北教育出版社，2001年。

〔註6〕朱發建：《中國近代史學「科學化」進程研究（1902～1949）》，長沙：湖南師範大學出版社，2005年。

映像出時人抉破羅網的革命態度和模糊漸清的史學認識。〔註7〕王學典、陳峰所著《二十世紀中國歷史學》以「當時的學界曾流行過」的「無史」論爲有力佐證，斷定新史學是無基礎積累、無學統可承和無自身歷史的新產物，並明確「無史」論者所指的「是『民史』而非『君史』，是『國家史』而非『朝廷史』，是『社會史』而非『貴族史』」，「作爲正史的『二十四史』在他們看來根本就不是『史』」。〔註8〕王學典主編《20世紀中國史學編年》將「無史」說的提出定位至鄧實《史學通論》，將「史權」說的提出歸根於陳黼宸《獨史》，特別列出諸如馬敘倫、陳懷、杜士珍及吳貫因等「有史」論者的一系列文章，以編年體裁爬梳論爭的演進脈絡，提供了時空兼顧的史料憑據。〔註9〕劉開軍《晚清史學批評研究》通過挖掘隱藏在近代報刊中的史學批評，單闢兩節專門探究交織在一起的「無史」與「有史」、「君史」與「民史」之爭，引用史料豐富充分，較爲完整地呈現出兩派爭鳴過程中的激烈與膠著，主張這一聚訟歸根結底是「民史」問題，「實質是中國傳統史學存在的合理性」〔註10〕和合法性問題，涉及史學的價值取向和政治指向，屬於史學理論的範疇。總體來看，如果說王汎森的著作是從思想史、概念史的立場給出研究新視角的話，那麼後五者則是從史學史、學術史的立場作出了深入研究。

無一例外，以上著作從不同的詮釋角度出發，對此論題進行單獨闡述，使之在行文中佔有一席之地。除此以外，還有極多論著在某種程度上廣泛運用了承載此論題的相關史料，但卻更多地聚焦在新史學思潮上，對「有史」、「無史」的爭論或略加分析，或移作註腳，經常作爲連帶詞匯或概念點到爲止，未進行專題式探究。這是個人的學術選擇，無可指謫。這裡要做的是汲取其中養分作用於研究對象，使研究過程盡可能完善。

如蔣俊《中國史學近代化進程》從史學思想史角度探討新史學在中國史學近代化進程中的興衰功過，著重分析了先時人物梁啓超的新史學理念。〔註11〕張書學《中國現代史學思潮研究》著眼於釐清20世紀20～40年代史學思潮間的區別與聯繫，對初期的新史學思潮從興起、特點與局限三方面作了簡要

〔註7〕劉俐娜：《由傳統走向近代——論中國史學的轉型》，北京：社會科學文獻出版社，2006年。

〔註8〕王學典、陳峰：《20世紀中國歷史學》，北京：北京大學出版社，2009年。

〔註9〕王學典主編：《20世紀中國史學編年》，北京：商務印書館，2014年。

〔註10〕劉開軍：《晚清史學批評研究》，上海：上海古籍出版社，2017年。

〔註11〕蔣俊：《中國史學近代化進程》，濟南：齊魯書社，1995年。

回顧。〔註 12〕再如侯雲灝《20 世紀中國史學思潮與變革》提出要對「同樣主張新史學的其他大部分史學家如鄧實、馬敘倫、劉師培、陳黻宸、汪榮寶、曾鯤化等人」進行研究以揭示新史學原貌，並從近代政治史學對戰和批判傳統政治史學的角度對梁啓超的史學主張作出新解釋。〔註 13〕張越《新舊中西之間——五四時期的中國史學》第一章以梁啓超爲主，兼括同時代鄧實、馬敘倫、陳黻宸、汪榮寶及夏曾佑等人，細緻分析了其史學觀點、前後期的思想轉變和新史學思潮的內容、特點、創新、意義及建樹。〔註 14〕之後收錄在《史學史通論與近現代中國史學研究》中的《「新史學」思潮的產生及其學術建樹探析》一文，除在前言部分補充一定新內容且標題、敘述更爲簡要化、概念化之外，持論與前書幾同。〔註 15〕又如羅志田《經典淡出之後——20 世紀中國史學的轉變與延續》從「人的隱去」（內涵之一爲質疑「以人爲本位來構建歷史」）的角度指明梁啓超「『中國無史』論的依據」和「他將具體的個人排除出史著的學理基礎」是「一二個人與國民全體的對立」。〔註 16〕黃東蘭《「吾國無史」乎？——從支那史、東洋史到中國史》以梁啓超、福澤諭吉各爲代表的中日兩國雖相隔二十五年而共呼「吾國無史」爲引線，提出當時人如何思考書寫本國史這一問題，考察了從支那史、東洋史到中國史的知識背景、異同關聯及反映在教科書編訂上的互動過程。〔註 17〕

（二）論文成果

直關此論題的論文成果，主要存在於對相關學人的中國「無史」、「有史」觀點討論和新史學思潮研究所牽涉到的中國「無史」、「有史」論兩個方面中。

就前者而言，關注點主要集中在對梁啓超、鄧實、黃節、馬敘倫、陳黻

〔註 12〕張書學：《中國現代史學思潮研究》，長沙：湖南教育出版社，1998 年。

〔註 13〕侯雲灝：《20 世紀中國史學思潮與變革》，北京：北京師範大學出版社，2007 年。

〔註 14〕張越：《新舊中西之間——五四時期的中國史學》，北京：北京圖書館出版社，2007 年。

〔註 15〕載張越：《史學史通論與近現代中國史學研究》，北京：北京師範大學出版社，2011 年。

〔註 16〕羅志田：《經典淡出之後——20 世紀中國史學的轉變與延續》，北京：三聯書店，2013 年。

〔註 17〕載孫江、劉建輝主編：《亞洲概念史研究》第一輯，北京：三聯書店，2013 年。

宸兼及康有爲、章太炎、劉師培及夏曾佑等人觀點的共時性分析上。〔註18〕

首先，梁啓超研究。〔註19〕成果豐碩，學術界對此已做過數篇綜述，〔註20〕其中與論題最相關者是在上世紀初倡導的史界革命及隨之而起的新史學思潮。這一研究多從《中國史敘論》（1901年）、《新史學》（1902年）及《論中國學術思想變遷之大勢》（1902年）等文章入手，側重內容、背景及影響分析，如「四弊二病」說、進化歷史觀、新史學理念、與日本學界的互動、與五四運動和古史辨運動的關聯及人物間的學術往來等。同時，梳理批判封建舊史的相關言論，對「無史」觀的探究大多從政治層面考量並持肯定態度，確立梁氏在新史學發展中的主導地位。不過，近年來已有學者開始反思舊有認識，從學政關係與破立關係的視角作出了新評價。

其次，鄧實研究。吳忠良《鄧實與「新史學」思潮》及《鄧實史學思想析論》〔註21〕通過介紹生平並爬梳「無史」觀點，特別點明「民史」觀及其與新史學的關係，認爲這是「對梁啓超倡導的『史學革命』的回應」，雖然此後鄧實曾對已有認知作出修正，但彼時觀點仍「深受梁啓超的影響，所提出

〔註18〕爲避繁複，若人物研究著作的觀點不出「論文成果」的範圍，則不再一一列舉。主要著作有：張灝：《梁啓超與中國思想的過渡（1890～1907）》，南京：江蘇人民出版社，1995年；鄭匡民：《梁啓超啓蒙思想的東學背景》，上海：上海書店出版社，2003年；王汎森：《章太炎的思想》，上海：上海人民出版社，2012年；鄭師渠：《晚清國粹派文化思想研究》，北京：北京師範大學出版社，2014年；李帆：《劉師培與中西學術》，北京：北京師範大學出版社，2014年；常超：《「託古改制」與「三世進化」——康有爲公羊學思想研究》，北京：北京大學出版社，2015年。

〔註19〕主要論文有：陳其泰：《梁啓超與中國史學的近代化》，《南開學報》，1996年第3期；陳平原：《「元氣淋漓」與「絕大文字」——梁啓超及「史界革命」的另一面》，《文學評論》，2003年第3期；手代木有兒：《梁啓超的史界革命與明治時期的歷史學——關於晚清的進化論和歷史觀》，《近代中國》（第十四輯），上海：上海社會科學院出版社，2004年；王先明：《從癡迷到迷惘：梁啓超與近代新學的歷史命運》，《南開學報》，2004年第5期；鄔國義：《梁啓超新史學思想探源》，《社會科學》，2006年第6期；路新生：《1902年梁啓超「史界革命」的再審視》，《思想與文化》，2014年第1期；李長銀：《導夫先路：梁啓超與「古史辨運動」》，《北京社會科學》，2014年第12期。

〔註20〕主要論文有：張衍前、於志國：《近年來梁啓超研究綜述》，《文史哲》，1996年第2期；東方：《近期梁啓超傳記綜述研究》，《文史哲》，1998年第6期；侯傑、林緒武：《省思與超越——近十年來梁啓超研究之探討》，《社會科學研究》，2004年第3期；胡瑞琴：《近二十年來梁啓超史學思想研究綜述》，《雲南財貿學院學報》，2006年第1期。

〔註21〕吳忠良：《鄧實史學思想析論》，《東方論壇》，2003年第2期。

的目標也沒有超出梁氏的範圍」〔註 22〕。王琳《鄧實文化思想研究》從第一手史料入手，整理鄧實文化思想的演變情況，認爲他所說的中國「無史」乃指「民史之爲物，中國未嘗有也」。〔註 23〕除此之外，其他研究多關注鄧實的國粹思想、中西文化觀、詩歌與藏書及與黃賓虹等人的交往等。

其三，馬敘倫研究。林輝鋒《從史學到文字學——馬敘倫早年學術興趣轉變的內在思路》第一部分通過引王汎森所言——梁啓超《新史學》揭開了第一次史學革命的帷幕並在知識界引發了一場關於中國究竟「有史」還是「無史」的討論——認爲「雙方的區別在於梁啓超比較絕對化的主張中國『無史』，而陳氏師徒則反之」，「在主張『有史』的這一點上，陳黼宸和馬敘倫基本上是一致的」。〔註 24〕除此之外，其他研究多關注馬敘倫的生平與著作、教育思想及人物交遊等。

其四，陳黼宸研究。李洪岩《論陳介石的史學思想》涵蓋進化史觀、民史觀念及史書編纂三個方面，是較早系統論述其史學思想的學術文章。〔註 25〕吳忠良《略論陳黻宸的歷史觀和新史方案》從歷史觀和新史編纂兩個角度分析，突出其繼章太炎和梁啓超之後的獨特地位並對「久被湮沒」的史學成就作出評估。〔註 26〕李峰和王記錄《新舊之間：陳黻宸史學成就探析》在進化論之外，闡釋其民史思想和新史編纂並指出不足。〔註 27〕除此之外，其他研究多關注陳黻宸的 「四獨」、「五史」論、經史關係及與新史學的關聯等。〔註 28〕

最後，其他人物研究。康有爲研究，多面考察經學與古史思想、教育與

〔註 22〕吳忠良：《鄧實與「新史學」思潮》，《南都學壇》，2003 年第 2 期。

〔註 23〕王琳：《鄧實文化思想研究》，河北師範大學 2009 年碩士學位論文。

〔註 24〕林輝鋒：《從史學到文字學——馬敘倫早年學術興趣轉變的內在思路》，《中山大學學報》，2007 年第 5 期。

〔註 25〕李洪岩：《論陳介石的史學思想》，《史學理論研究》，1992 年第 4 期。

〔註 26〕吳忠良：《略論陳黻宸的歷史觀和新史方案》，《東方論壇》，2002 年第 2 期。

〔註 27〕李峰、王記錄：《新舊之間：陳黻宸史學成就探析》，《史學集刊》，2007 年第 2 期。

〔註 28〕主要論文有：秦文：《陳黼宸歷史學說研究》，貴州師範大學 2003 年碩士學位論文；齊硯奎：《近代經史嬗變過程中的陳黼宸》，華東師範大學 2007 年碩士學位論文；尹燕：《陳黼宸的史學「四獨」「五史」論》，《史學史研究》，2012 年第 2 期；侯俊丹：《新史學與中國早期社會理論的形成——以陳黻宸的「民史」觀爲例》，《社會學研究》，2014 年第 4 期。

倫理思想及改革與變法思想等。〔註 29〕章太炎研究，關注重心在經學與史學思想、國粹與國學思想及政治革命與民主思想等。〔註 30〕劉師培研究，著重探討史學方法與經學成就、進化史觀與民族史觀及教科書編纂等。〔註 31〕夏曾佑研究，重點剖釋小說與詩作理論、宗教與文化思想及教科書撰寫等。〔註 32〕除此之外，對嚴復、王國維及譚嗣同等人的研究也多與之相似。

經以上分析可見，相關人物的研究已初具規模，尤以對梁啓超的探索最爲充分。

就後者來說，關注點主要聚集在新史學視野下對諸學人觀點的歷時性分析及對「無史」和「有史」論的綜合評判上。〔註 33〕

孫之梅《南社與國粹學派》及《南社與國粹派學術文化運思的共性》從史學評論角度論述梁啓超及部分國粹派成員的「無史」或「有史」觀點並作爲批判舊史學的表現之一。〔註 34〕須格外注意，清季國粹運動的研究也多觸

〔註 29〕主要論文有：趙利棟：《胡適與康有爲：學術聯繫的一個初步探討》，《學術研究》，2000 年第 1 期；田旭東：《20 世紀中國古史研究主要思潮概論》，中國社會科學院研究生院 2001 年博士學位論文；李朝津：《世界史與民族史的交匯——康有爲早期史學思想》，載《辛亥革命與 20 世紀的中國——紀念辛亥革命九十週年國際學術討論會論文集》（下），北京：中央文獻出版社，2002 年。

〔註 30〕主要論文有：李澤厚：《章太炎剖析》，《歷史研究》，1978 年第 3 期；瞿林東：《繼承傳統與走向近代：章太炎史學思想的時代意義》，《學術研究》，2003 年第 4 期；路新生：《「經」「史」互動：章太炎的經學研究及其現代史學意義》，《天津社會科學》，2006 年第 5 期；陸胤：《清末章太炎、梁啓超學派之分合——以「新史學」爲線索》，《中華文史論叢》，2008 年第 4 期；張昭軍：《章太炎與中國史學的現代性轉換》，《天津社會科學》，2014 年第 4 期。

〔註 31〕主要論文有：曹靖國：《劉師培史學思想述評》，《東北師大學報》，1991 年第 6 期；鄭師渠：《劉師培史學思想略論》，《史學史研究》，1992 年第 4 期；李洪岩、仲偉民：《劉師培史學思想綜論》，《近代史研究》，1994 年第 3 期；牛秋實：《從經學到史學：劉師培學術思想研究》，南開大學 2009 年博士學位論文。

〔註 32〕主要論文有：陳其泰：《夏曾佑對通史撰著的貢獻》，《史學史研究》，1990 年第 6 期；李洪岩：《夏曾佑及其史學思想》，《歷史研究》，1993 年第 5 期。

〔註 33〕爲避繁複，凡是已在前面「著作成果」中提到的學者，若論文與著作持論一致，則不再一一列舉。主要論文有：俞旦初：《二十世紀初年中國的新史學思潮初考》，《史學史研究》，1982 年第 3 期；胡逢祥：《二十世紀初的新史學思潮和資產階級史學的確立》，《歷史教學問題》，1989 年第 4 期；朱發建：《「科學化」與中國近代「新史學」的興起》，《吉首大學學報》，2006 年第 3 期；劉開軍：《史學批評傳統與中國史學的變革》，《四川師範大學學報》，2014 年第 5 期。

〔註 34〕孫之梅：《南社與國粹學派》，《南京理工大學學報》，2006 年第 1 期；孫之梅：《南社與國粹派學術文化運思的共性》，《徐州師範大學學報》，2011 年第 1 期。

及該論題的相關內容。如胡逢祥《論辛亥革命時期的國粹主義史學》提到鄧實、黃節及許之衡等人倡議民史並大舉批判封建舊史。〔註35〕再如鄭師渠《晚清國粹派的新史學探討》解析國粹派對傳統史學的三大不滿並指出與新史學陣營下梁啓超一派的不同。〔註36〕又如王凱《清末國粹運動研究》提及國粹派學人借史學以論國學，體現文化自覺與擔當意識。〔註37〕此類研究雖不直面「無史」與「有史」的爭辯，但立足學派，對某些邊緣人物的思想給予充分關注，有助於推進此論題的開展。許小青《20 世紀初新史學與民族國家觀念的興起》通過分析國家與史學的關係，認爲「無史論的出臺，其立論的出發點雖然是史學這一學術論題，但其落腳點卻已變爲民族國家的理論建構，蘊含著深刻的政治啓蒙因子」。〔註38〕陳永霞《20 世紀初年「新史學」的史學評論標準探析》主張「當時熱烈討論的中國有無歷史的問題」「是從社會政治的角度進行評判。」〔註39〕向燕南《20 世紀前期新史學鄭樵接受史之分析》集合上世紀初學人文章中對鄭樵的評述，對其如何獲得「新的接受和解讀」作出剖析，而這些文章同樣適用於「無史」與「有史」問題的解讀，爲此論題研究呈現了新思路。〔註40〕除此之外，其他研究或著眼於新史學的產生、演變、結果與地位，或著眼於學人與新史學的種種關聯，或著眼於新史學與五四運動、古史辨運動及唯物史觀的內在互動等。〔註41〕總而言之，無論是立足理論的範型探究，還是立足史料的理路梳理，都在一定程度上將「無史」與「有史」的論爭融進新、舊史學的衝突與調和之內，奠定了該論題研究的主要基調。

〔註35〕胡逢祥：《論辛亥革命時期的國粹主義史學》，《歷史研究》，1985 年第 5 期。

〔註36〕鄭師渠：《晚清國粹派的新史學探討》，《北京師範大學學報》，1991 年第 5 期。

〔註37〕王凱：《清末國粹運動研究》，曲阜師範大學 2016 年碩士學位論文。

〔註38〕許小青：《20 世紀初新史學與民族國家觀念的興起》，《社會科學研究》，2006 年第 6 期。

〔註39〕陳永霞：《20 世紀初年「新史學」的史學評論標準探析》，《社科縱橫》，2015 年第 1 期。

〔註40〕向燕南：《20 世紀前期新史學鄭樵接受史之分析》，《史學月刊》，2017 年第 8 期。

〔註41〕主要論文有：雷戈：《論新史學》，《延邊大學學報》，1998 年第 4 期；侯雲灝：《20 世紀初「新史學」的產生及其演變》，《淮北煤炭師範學院學報》，2003 年第 5 期；桑兵：《近代中國的新史學及其流變》，《史學月刊》，2007 年第 11 期；姜萌：《從「新史學」到「新漢學」——1901～1929 年中國史學發展史稿》，山東大學 2007 年碩士學位論文；謝進東：《現代性與 20 世紀中國的歷史學解釋模式》，東北師範大學 2010 年博士學位論文；劉永祥：《唯物史觀與新史學的演進》，《東方論壇》，2015 年第 4 期。

綜上兩大部分，既有的學術成果體現出六點特徵。宏觀來看，第一，著作與論文數量日漸增多，特別是新世紀以來，上升趨勢顯著。第二，注重史學史、學術史研究，旁及思想史、概念史層面，並開始借助文學、美學開展跨學科討論，但後二者相對薄弱。第三，注重「倒放電影」〔註 42〕式探究，多將論爭置於已有的新史學語境中，根據結局重建過程，在確定重要節點的同時，對某些環節有所遺漏，影響到事件眞相的全景還原。微觀來看，第一，注重國內背景及與日本文明史學的關聯，缺乏全球史學變遷視角，對西方給予中國史界的影響關注不足。第二，注重陳述學人觀點，前期側重「無史」論者，近年開始注意「有史」論者及兩方論爭，但對學人之間的學術往來及觀點互動、對被邊緣化人物及小人物的探索略顯不夠。第三，注重與新史學的外在關係，缺少對論爭本身的細化研討，較少闡發內在邏輯的一致與衝突。

第三節　研究構架

鑒於上述分析，擬從以下三點進行研究。

第一，探究論爭外緣，發掘與全球史學發展的聯繫。若沒有外來的學術衝擊，中國史學能否進展到今日情狀？若能，要耗去多少看似很必要但實則很不必要的時間？若不能，外因在促動自身運轉時所發揮有益作用的臨界點又在何處？用「如果」式的假設回到歷史現場，帶有幾分理想主義色彩的同時，確能幫助重審當時以資當下。伴隨論爭的出現，歷史敘述從「世界的中心」轉向「世界的一部分」，傳統史學從「不可撼動的典範」變爲「一切皆可究的普通對象」。很明顯，這都不再是孤立的國內現象，可以說是中外史學碰撞到一定程度的產物，更是積蓄已久的矛盾情緒的第一次集中爆發。

第二，兼顧論爭兩方，通過學人個案研究探尋論爭整體特徵。「歷史的共性，本蘊藏於、也可以展現在個人的經歷和體驗之中」，「最好讓讀者看到學者怎樣治學，並在立說者和接受者的互動之中展現學術思想觀念的發展過

〔註 42〕參見羅志田：《亂世潛流：民族主義與民國政治》，上海：上海古籍出版社，2001 年，第 275～276 頁。他指出：「倒放電影」的優點是借後見之明發現當事人忽略掉的事件的重要性，並仔細分析當時何以不能認識到事件的歷史意義以及如何影響到當事人對事件的因應；缺點是無意中會去除與結局關係不大的環節，使得我們重建出的歷史多呈不斷進步的線性發展而非更接近實際歷史演變的多元紛呈的動態情景。

程。若採取『見之於行事』的取向，回到『學術』產生過程中，落實到具體學術觀念、取向的創立者以及當時的學術爭辯之上，即不僅摘取其言論，而是將每一立說者還原為具體場景中活生生的人物，或能避免人的過渡抽象化，甚至『物化』。」〔註43〕論爭的主體是當時的人，對象是過去的人和他們寫成的史，結局也終將搭載著這一階段的歷史意識交至未來的人的手中。

第三，細化論爭過程，呈現其中和背後的異同離合。與狹義的上世紀初期的新史學運動不同，參與者除了眾所周知的梁啓超之外，更多的是不太受關注的所謂被邊緣學人。系統整理未經集結出版的零散史料，可以清理出很多被埋沒的事實，為更全面展示歷史的原本面貌提供更多線索。時代之中，始料未及的不僅僅是社會變化，就連學術立場的反覆轉變恐怕也都超出學人自身預料。言語和思想的自相或互相矛盾是再也正常不過的常態，事事合乎邏輯反而顯得有些格格不入，但這並不等於絕對意義上的二元對立，本質往往同出一源或同歸一處，揭示而非按照意願改變或扭曲它應是研究的價值所在。

由此，仍主要從史學史或學術史視角，利用比較研究的方法，注意考察域外觀念在中國傳播給予不同學人的不同影響，注意從學人經歷和學人間往來中辨析思想的分合，注意借助關鍵細節正向把握論爭的理路，以期在某種程度上減少既定思維的束縛。

第一章以論爭的發軔為主線。開門見山，依據相關表述評定言論持有者的立場，確定關鍵人物梁啓超的引領地位和先導作用。而後，回敘國內氣氛和國外思潮，說明依託的思想資源和作出的內向突破，尤應重視日本「無史」說和「中國停滯」論的影響。

第二章以論爭的鋪開為主線。按照時間順序，繼梁啓超後，以兩方爭辯最先和最烈的鄧實與馬敘倫入手，分析取向的不同，著重點明在如何達成新史學上的相合本質。此外，簡述其他學人的觀點，指出兩方的聚焦問題和勢力變化，尤應注意轉變者的態度。

第三章以論爭的完結為主線。接續之前的論調研究，轉而探索新體中國史的編撰情況，並增添某些非論爭中人一併考量，從而在言論和實踐兩個層面作出總體評估。經此，判定兩方同歸而殊途、「名」分而「實」合，也得見

〔註43〕羅志田：《經典淡出之後——20世紀中國史學的轉變與延續（引論）》，北京：三聯書店，2013年，第10頁。

論爭與新史學運動的同異之處。

除此之外，尚有四點不盡人意。其一，受制於語言。研究多圍繞中譯本展開，對日本「無史」說和「中國停滯」論缺乏外文史料的直接佐證，而這正有助於論題認識的進一步深入。其二，受制於資料。除所引之外，還有不少文章未經整理，加之搜尋不得，只能暫付闕如，以致存在某些不自覺的以偏概全之象。其三，受制於文本，兩方劃分或不確切。一方面是因身在轉型時代，學人觀點轉變迅速，難以做出一時定論。另一方面是因分陣營研究既有助於撥開層層迷霧，從一團亂麻中理出所需線索，也容易存有一分爲二的絕對化傾向，常令人產生某些不必要的誤解。其四，受制於視角，理論性和思想性不足。已有的新史學研究蔚爲大觀，論爭只是冰山一角，縱然有相對獨立的一面，卻也不免被框置其中，若不借助新機緣，則難以出新。

總而言之，史學研究或爲闢莽之創新，或補已有之闕漏，或是立足於純粹專一的學術，或是立足於事關己身的現實，但大都在提出問題的同時力求得到一種解釋，得到一種可以直射社會和心靈的力量，這是歷史的價值，更是歷史之於研究者的魅力所在。

第一章　誰是論爭的挑起者

正如「有」和「無」是一組相對概念那樣，「有史」和「無史」須互爲參照才能成立。中國歷史綿延悠長，歷朝史書汗牛充棟，輝煌的史學成績向來令國人引以爲豪，「有史」無可爭議。19 世紀中葉至 20 世紀初，中國史學與世界史學正式相交，不是在平等的環境中，更不是在以中國爲「老大」的局勢下，而是要救亡圖存，要借史言政，這就不可避免地會用世界眼光重審中國過去，用強勢語權代替弱勢語權，舊史由此受到前所未有的質疑，突出表現在以梁啓超爲代表的「無史」一方。論爭因此而起。以 1901 年爲界，如果此前的批判是以二十四史爲主體、以君史與民史爲焦點且論調較爲平和的話，那麼此時已將範圍擴大到史學與史家，觀點趨於多元且論調走向極端。

第一節　中國「未嘗有史」：梁啓超的引領

20 世紀，現存文本中最早出現「中國無史」四字連用者，或許是 1902 年 6、7 月間趙必振（1873～1956）爲高山林次郎（1871～1902）等人著《日本維新三十年史》中譯本所作的序言：

> 故今日談新史學者，輒謂吾中國無史。〔註 1〕

很明顯，這是對「談新史學者」的觀點概括。對此他心存質疑：

> 非無史也，不過二十四姓之家譜年表耳。其言雖激，然吾考夫史宬，若編年體、紀傳體以及別史、雜史等，汗牛充棟，果誰能請辯護士而與之質訟者？〔註 2〕

〔註 1〕古同資譯：《日本維新三十年史》，上海：華通書局，1931 年。
〔註 2〕古同資譯：《日本維新三十年史》，上海：華通書局，1931 年。

可見，質疑的是「無史」這一過激說法，但並未進一步反駁而使用「有史」字眼，且贊同「二十四姓之家譜年表」的舊史評議。在他看來：

> 金閨之彥，蘭臺之英，秉筆紀事，無不惟一朝一代之盛衰隆替，津津焉而樂道之。……不外乎奴一姓、捍一族、崇一人……以社會之大、民族之眾，而以彼一姓、一族、一人而統括之，私矣小矣，誇矣誤矣。〔註 3〕

即反對一朝一代盛衰隆替之君史，提倡「有關於社會之大者」〔註 4〕之民史。

此外，他還主張：「史之體有三：神權之世，則為神代史；君權之世，則為君史；民權發達之世，則為民史。三古同軌，萬國一轍」，「今日之史，視昔日之神代史、君史固非可同年而語」，「後生可畏，則此編者，又不過為民史之推輪。而進化愈速，則此編又為芻狗矣」，「豈惟吾中國，即日本三十年以前，亦何莫不然。」〔註 5〕通過對比中日社會及史學發展，認為日本已進入「民權發達之世」而中國正處於君權社會向民權社會的過渡時期，選擇強化民權而弱化君權、書寫民史而廢棄君史合乎規律，必然會像日本一樣開啓民智、富強國家，然進化愈速，民史也可能有過時之日。

趙必振此文並非無的放矢。以「聞之新史氏矣」〔註 6〕開篇，除中途提到「談新史學者」外，又說及「豈能免夫新史氏之所議者」〔註 7〕，可知直接針對的是「新史氏」或以之為代表的「談新史學者」。那麼，在 1902 年前後，以「新史氏」〔註 8〕自稱且「談新史學」最有力者必屬梁啓超（1873～1929）。

1901 年 9 月 3 日、13 日，梁啓超以「任公」署名分別在《清議報》第 90、91 冊「本館論說」欄目發表《中國史敘論》，對「無史」的指屬集中在第一節「史之界說」和第八節「時代之區分」：

> 史也者，記述人間過去之事實者也。……前者史家，不過記載事實；近世史家，必說明其事實之關係，與其原因結果。前者史家，不過記述人間一二有權力者興亡隆替之事，雖名為史，實不過一人一家之譜牒；近世史家，必探察人間全體之運動進步，即國民全部

〔註 3〕古同資譯：《日本維新三十年史》，上海：華通書局，1931 年。
〔註 4〕古同資譯：《日本維新三十年史》，上海：華通書局，1931 年。
〔註 5〕古同資譯：《日本維新三十年史》，上海：華通書局，1931 年。
〔註 6〕古同資譯：《日本維新三十年史》，上海：華通書局，1931 年。
〔註 7〕古同資譯：《日本維新三十年史》，上海：華通書局，1931 年。
〔註 8〕參見梁啓超：《中國歷史研究法》，北京：中華書局，2011 年，第 204、208 頁。

之經歷，及其相互之關係。……故只有王公年代記，不有國民發達史，……然所謂政治史，又實爲紀一姓之勢力圈，不足以爲政治之眞相。……中國前輩之腦識，只見有君主，不見有國民也。……以此論之，雖謂中國前者未嘗有史，殆非爲過。〔註9〕

指出「無史」的兩層含義：第一，無「說明其事實之關係與其原因結果」之史；第二，無「國民發達」之史。

四個多月後，自1902年2月8日始（至11月14日終），梁啓超以「中國之新民」署名分別在《新民叢報》第1、3、11、14、16、20號「史傳」和「歷史」欄目發表《新史學》〔註10〕，對此前的「無史」言論作出深化：

歷史者，敘述人群進化之現象而求得其公理公例者也。凡學問必有客觀主觀二界。……有客觀而無主觀，則其史有魄無魂，謂之非史焉可也（偏於主觀而略於客觀者，則雖有佳書，亦不過爲一家言，不得謂之爲史）。……二十四史非史也，二十四姓之家譜而已。……眞可謂地球上空前絕後之一大相斫書也。……從來作史者，皆爲朝廷上之君若臣而作，曾無有一書爲國民而作者也。……中國數千年，惟有政治史，而其他一無所聞。〔註11〕

首先，伴隨史學定義的變更，「無史」也從無「說明其事實之關係與其原因結果」之史到無「敘述人群進化之現象而求得其公理公例」之史，突出進化與規律的重要性。其次，點出相合主、客觀二方謂之史而偏於主、客觀一方非謂史，實質是強調對客觀「記載事實」與主觀「分析事實」（包括說明事實之關係與原因結果和求得公理公例兩個部分）的聯動。其三，論調從「殆非爲過」到「無一書」、「一無所聞」，變得肯定化、絕對化，且波及範圍擴大至包括正史在內的一切史書，凡與「四蔽二病三難」相合者皆難稱是史。在此基礎上，梁啓超開始反思歷史書寫主體的自身問題：

故吾中國史學知識之不能普及，皆由無一善別裁之良史故也。……中國前此之無眞史家也，又何怪焉！而無眞史家，亦即吾

〔註9〕梁啓超：《中國歷史研究法》，北京：中華書局，2011年，第161～162、173頁。爲便論述，原文順序有所打亂，下同。

〔註10〕《新民叢報》第1、3、11、14、16、20號分別對應1902年2月8日、3月10日、7月5日、8月18日、9月16日和11月14日，跨度近十個月。除了第1號是將文章附於「史傳」欄目外，其餘各號的連載文章都附於「歷史」欄目。

〔註11〕梁啓超：《中國歷史研究法》，北京：中華書局，2011年，第177、181、185頁。

國進化遲緩之一原因也。〔註12〕

指出「無史」的第三層含義：無「良史」、無「眞」史家。

至此，梁啓超的「無史」觀已較完整地呈現出來。三者之中，第一層是關鍵，第二層是核心，第三層是前提。評價史家優劣以前兩層爲標準，但若無史家，史學便無從談起。即便有了史家，若寫作不以民史爲核心、以揭示規律爲關鍵，史學亦無從談起。此外，他還談到它國史學發展和中國史學之命名、範圍、人種、紀年、正統、書法及與其他學科的關係，歸於一點即：「史界革命不起，則吾國遂不可救。悠悠萬事，惟此爲大。」〔註13〕借「無史」之論，革舊史之命，迎新史之生。

需格外注意，梁啓超的論說有很多前後矛盾之處。如將包含《史記》在內的二十四史諷爲二十四姓之家譜的同時，卻又譽司馬氏爲「稍有創用之才者」，「誠史界之造物主也。其書亦常有國民思想」，「皆有深意存焉。其爲立傳者，大率皆於時代極有關係之人也。而後世之效顰者，則胡爲也」。如將所有史書視爲「皆爲朝廷上君若臣而作，曾無有一書爲國民而作者」，卻又稱讚杜佑《通典》、鄭樵《通志》、司馬光《資治通鑒》、袁樞《通鑒紀事本末》及黃宗羲《明儒學案》等，認爲體現「國民全體之關係」，「求其原因結果」，「實爲中國史界放一光明也」。〔註14〕諸如此類，若條條細推，則不少觀點將成爲悖論。對論爭而言，還應從全域出發，取主導傾向，切勿令之喧賓奪主。

經上分析，二文中《中國史敘論》首次論及「無史」的兩層含義，《新史學》在此之外作出深化與補充，以致在後續爭論時，不管是出自支持者還是反對者，都隨處得見「家譜」說與「史界革命」這類「極具感染力的文學表述」〔註15〕的影子。另外，《新史學》以「新」字打頭，與一個新百年對應，帶有與舊史劃清界線的象徵意義。以今視昔，人們往往會習慣性地找尋某些標誌性詞句作爲凸顯時代特徵的標誌，《新史學》無疑要比《中國史敘論》更具可供宣揚的價值。所以，雖然從主要觀點的提出上，前者要早於後者，但從文本所涉及的深度、廣度及引用度上看，後者確實具備最大意義上的先創性和指引性。

〔註12〕梁啓超：《中國歷史研究法》，北京：中華書局，2011年，第180、187頁。

〔註13〕梁啓超：《中國歷史研究法》，北京：中華書局，2011年，第182頁。

〔註14〕梁啓超：《中國歷史研究法》，北京：中華書局，2011年，第180頁。

〔註15〕陳平原：《「元氣淋漓」與「絕大文字」——梁啓超及「史界革命」的另一面》，《文學評論》，2003年第3期。

距離《新史學》第二章「史學之界說」的刊出僅一月，1902 年 4 月，馬君武（1881～1940）在爲福本源誠著《法蘭西近世史》中譯本所作的序言中也談及「無史」：

> 吾中國塵塵四千年乃有朝廷而無國家，有君譜而無歷史，有虐政而無義務，至於今日。……法蘭西，歐洲文明開化最先之域也。……路易十六未伏誅以前，其困於暴君之專制，法國人民之困苦，正與吾中國今日之地位無異也。〔註 16〕

基調在借法蘭西的文明開化抨擊中國的暴政專制，反對君史。

此時，趙必振、梁啓超和馬君武同在日本且已相識。〔註 17〕趙必振曾任《清議報》和《新民叢報》的校對、編輯並經常以「趙振」、「民史氏」爲名撰文，與章太炎（1869～1936）、陳天華（1875～1905）等人交好，傾向革命、倡導民權。馬君武作爲晚輩，也曾任《新民叢報》撰稿人，提倡改良、力挺民權。將他們的文章集合起來分析是合理且必要的，也進一步解釋了爲什麼說趙必振之文直接針對的是梁啓超。整體上看，三人史學觀點相近，唯一分歧是趙必振不太認可「無史」一詞的使用。相比於梁啓超，馬君武和趙必振的論述明顯單薄，對「無史」的看法皆一邊倒向無民史，沒有新突破，更沒有提及梁啓超觀點中的另外兩點。這種情況與其說是附會，倒不如說是共識。而且，就馬君武和趙必振來說，更恰當的身份是政治活動家而非史學家。在此之後，他們都未再參與論爭，回國後也未再從事史學研究，影響甚微，反倒有助於側面提升梁啓超在論爭中的地位。

1901 年，梁啓超開「無史」機括並非偶然，此前的國內氛圍已爲之作好鋪墊。

第一個關鍵點，無疑要溯至康有爲（1858～1927）。在 1897 年末成書的《日本書目志》文內小結處，康有爲批駁了部分舊史重君史、輕民史的傾向：

> 吾中國談史裁最尊而號稱正史、編年史者，皆爲一君之史、一國之史，而千萬民風化俗尚不詳焉。……史乎！史乎！豈惟一人及一人所私之一國計哉？〔註 18〕

〔註 16〕莫世祥編：《馬君武集》，武漢：華中師範大學出版社，2011 年，第 4 頁。

〔註 17〕趙必振《日本維新三十年》譯序寫於 1902 年 6、7 月間，查其於 1902 年回國，但具體日期不明。

〔註 18〕蔣貴麟主編：《康南海先生遺著彙刊》第 11 卷，臺北：宏業書局，1976 年，第 205～206 頁。

還主張中國史學要「借日本爲經途、爲探路，而後安步從之」〔註 19〕，其他論說也未出這一範圍。在此之前，1897 年 5 月 22 日、7 月 20 日，梁啓超於《時務報》第 27、33 冊陸續發表的《變法通譯・論譯書》和《續譯〈列國歲計政要〉敘》中已提出上述看法：

> 史者，所以通知古今，國之鑒也。中國之史，長於言事，西國之史，長於言政。言事者之所重，在一朝一姓興亡之所由，謂之君史。言政者之所重，在一城一鄉教養之所起，謂之民史。〔註 20〕
>
> 民史之著，盛於西國，而中土幾絕。中土二千年來，若正史，若編年，若載記，若傳記，若紀事本末，若詔令奏議，強半皆君史也。若《通典》、《通志》、《文獻通考》、《唐會要》、《兩漢會要》諸書，於國史爲近，而條理猶有所未盡。〔註 21〕

不久後的 1897 年冬，又在《湖南時務學堂劄記批（節錄）》中對已有看法作出深化：

> 若二十四史，則只能謂之廿四家譜耳！無數已往人與骨皆朽化矣，而斤斤記其雞蟲得失，而自誇曰史學史學，豈不謬哉！〔註 22〕

或許是給學生批劄記的緣故，用詞明顯比在正式刊物上激烈。此中既可見教育導向，也可知「無史」觀的第二層含義最遲在此時已基本完備。由此，從發表時間和篇幅上說，梁啓超似更勝一籌，但並不能因此斷定是康有爲拾之牙惠。同馬君武、趙必振與梁啓超的觀點聯繫一樣，用共識更爲適宜，所應比較的主要是思想深度而非相似度。

1890 年，18 歲的梁啓超將康有爲看作是一等一的人物，「以大海潮音，作獅子吼，取其所挾持之數百年無用舊學，更端駁詰，悉舉而摧陷廓清之」，令他如「冷水澆背，當頭一棒」，「生平知有學自茲始」，〔註 23〕在陳千秋的引薦下，立以舉人身份拜生員康有爲爲師。隨後，參與分校《新學僞經考》，分纂《孔子改制考》、《春秋董氏學》等，介入公車上書，組織強學會，創辦

〔註 19〕蔣貴麟主編：《康南海先生遺著彙刊》第 11 卷，臺北：宏業書局，1976 年，第 151 頁。

〔註 20〕梁啓超：《變法通議・論譯書》，《時務報》第 27 冊，1897 年 5 月 22 日。

〔註 21〕梁啓超：《續譯〈列國歲計政要〉敘》，《時務報》第 33 冊，1897 年 7 月 20 日。

〔註 22〕李華興、吳嘉勳編：《梁啓超選集》，上海：上海人民出版社，1984 年，第 62 頁。

〔註 23〕參見梁啓超：《飲冰室合集》文集之十一，北京：中華書局，1989 年，第 16～17 頁。

《時務報》，領導湖南改革，倡行變法維新。〔註 24〕八年時間，儼然一躍成爲思想舞臺上的主角，成爲知識分子的焦點。

這樣順利的進階過程，當然不能忽略對康有爲的借力，尤其在對國內局勢與日本態度的選擇上，與其說二人處於同一立場，倒不如說是梁啓超以學生身份爲老師的定策衝鋒陷陣。相比於梁啓超，康有爲不能算是嚴格意義上的史學家，被稱爲經學家和政治思想家或許更爲合適。這不僅是因他少有如梁啓超般對中國歷史發展與史學書寫作出的系統評斷與規劃，更是因二人十五歲年齡差的背後是由時代差而擔負的不同責任。「兩考」和「三世之義」是康有爲前半生最用力、最輝煌的思想成果，表現在學術上是重破經學，在政治上是主扶君權，這是他思想認識的頂峰，事實也證明並未在後半生實現二次超越，反而步趨保守、日益邊緣。梁啓超則不然，弱冠之年便吸收了康有爲思想中最精華的部分，利用年齡優勢，僅以康有爲所用的一半時間便在國內完成思想體系的第一次搭建。近而立之年出走日本，直面日學與西學，激蕩的思想風暴和屢戰屢敗的國內現實並沒有允許他原地停留，站在康有爲的肩上，得以扯下舊學的僞裝面具，由改良轉向革命，由託「公羊三世」轉向直採民權政制，達成康有爲無法完成的二次超越。由此，在史學層面，康有爲能夠給予梁啓超的思想憑藉便是融進化論於「三世」和否定經學古史觀兩個方面了。〔註 25〕那麼，爲何梁啓超沒有承繼其經學路數？除個人興趣之外，或許是他自知不能在經學方面勝過康有爲。畢竟「兩考」已將經學批判最大化，若不借助新機緣，很難再向前推進，而史學卻是一塊新大陸，仿照破經來破史符合梁啓超的一貫邏輯，更何況他還在 1899 年和 1902 年分別打出「文界革命」和「小說界革命」的旗幟，也就更易理解 1901 年「無史」論與不久後「史界革命」的承接關係。所以，「無史」論的直接發生，可以說康有爲是愛莫能助，也或許根本無心於此。但不可否認，此時期的師生互動必定是影響梁啓超後來思想的重要節點。

第二個關鍵點，發生於與康有爲所在地廣州遙相呼應的另一個學術陣地長沙，開路先鋒是被譽爲「維新四公子」之一的徐仁鑄（1863～1900）。1898 年 3 月 13 日，他在《湘學報》第 30 冊發表的《輶軒今語》中提出史學

〔註 24〕參見丁文江、趙豐田編：《梁啓超年譜長編》，上海：上海人民出版社，1983 年，第 24 頁。

〔註 25〕參見汪高鑫、鄧銳：《今文經學與史學的現代化》，《史學史研究》，2009 年第 4 期。

二弊，並針對中國學術特點、君史與民史問題展開議論：

> 中國二千年政治、學術，大率互相因襲，未嘗以公理而思所以變通之道，故其沿革靡得而多言也焉。……史學以民間風俗爲要義。……記載稍碎者，則以爲繁蕪矣。此一蔽也。晚近以來，全憑碑傳，連篇累牘，悉屬諛詞，此又一蔽也。……西人之史，皆記國政及民間事故，讀者可考其世焉。中國正史，僅記一姓所以經營天下、保守疆土之術及其臣僕翼戴褒榮之陳跡，而民間之事，悉置不記載。然則不過十七姓家譜耳，安得謂之史哉？故觀君史、民史之異，而立國之公私判焉矣。今日欲考歷朝民俗，求之於正史，反不可得。而別史、雜史之類，時復記載之，亦學者所當厝意也。〔註26〕

即反對君史、提倡民史，需注意，此處的民史更側重風俗史，與之前馬君武、趙必振、梁啓超及康有爲所說的側重以民眾爲主體的民史略有不同。從通篇（經學–史學–諸子學–宋學）來說，他認爲「史學以官制、學派二端爲最要」〔註27〕，主張經學有用，當發揚西漢以前的今文經學來保存六經之傳與孔子之教，但也秉持經、史相對獨立的看法，並非化經入史的提倡者，應屬於舊式學者中的趨新一派。

幾天後，1897年3月18日，對「啓超之學」「影響至巨」〔註28〕的譚嗣同（1865～1898）在《湘報》第11號發表《〈湘報〉後序》，贊同梁啓超的君史與民史之說並駁斥正史爲君主「一姓之譜牒」的弊病：

> 新會梁氏，有君史民史之說，報紙即民史也。彼夫二十四家之撰述，寧不爛焉，極其指歸，要不過一姓之譜牒焉耳。於民之生業靡得而詳也；於民之教法靡得而紀也；於民通商、惠工、務材、訓農之章程靡得而畢錄也，而徒專筆削於一己之私。……不有報紙以

〔註26〕江標等編：《湘學報》第三冊，長沙：湖南師範大學出版社，2010年，第2097～2098頁。學界大多默認徐仁鑄爲《輶軒今語》的作者，但也有學者提出異議，如李孝遷在《西方史學在中國的傳播（1882～1949）》（上海：華東師範大學出版社，2007年，第145頁）中引《蔡元培全集》，說明《輶軒今語》可能存在是梁啓超爲徐仁鑄代作的可能。另外，楊庭福在《譚嗣同年譜》（北京：人民出版社，1957年，第103頁）中引《清史稿》，認爲《輶軒今語》乃梁啓超所著，徐仁鑄將其分頒學宮。

〔註27〕江標等編：《湘學報》第三冊，長沙：湖南師範大學出版社，2010年，第2097頁。

〔註28〕參見梁啓超：《飲冰室合集》專集之三十四，北京：中華書局，1989年，第61頁。

彰民史，其將長此汶汶闇闇以窮天，而終古爲喑啞之民乎？〔註 29〕

譚嗣同與梁啓超於 1895 年相識，互爲傾慕。1897 年，交遊趨繁，4 月共創戒纏足會，8 月同在湖南力營新學，10 月設時務學堂，聘梁啓超擔任總教習，制定學約，分經學、史學、子學及西學四科，12 月合主湘報館。1898 年，正月成立南學會，後協助陳寶箴經營新政。〔註 30〕在此期間，譚嗣同與梁啓超「大倡變法、自由、民主之論」〔註 31〕，過往甚密。在共同的革新旨趣下，論及史學現狀與舊史弊端完全可以說是英雄所見略同。另外，他們在湖南倡建新學之際，正值徐仁鑄以翰林院編修的身份視學於此。此前兩年，譚嗣同便已在北京結識徐仁鑄。至此，三人志趣相投，交談甚歡。1898 年，戊戌變法失敗，譚嗣同自絕於世，梁啓超逃亡日本，時隔一年，徐仁鑄也英年早逝，這段集中在「時務時代」〔註 32〕的交遊因時局惡變而告終，在此後論爭中再也不會見到他們的身影。總體來看，這一時期的言論，除徐仁鑄的民史概念與梁啓超等人稍異之外，對舊史的其他認識並無二致。

第三個關鍵點，要從嚴復（1854～1921）和王國維（1877～1927）那裡尋找答案。1897 年 12 月 8 日，嚴復在《國聞彙編》第 1 期發表的《砭愚》中批判君史：

又不幸前史體例，於國事常載其然，而不載其所由然，於帝王將相之舉動，雖小而必書，於國民生計之所關，雖大有不錄。〔註 33〕

他與梁啓超最遲在 1896 年相熟，至此文發表的三年中，曾多次致函並將所譯《天演論》原稿和《闢韓》等篇寄給梁啓超以供交流，且在主創的《國聞報》上多次刊登梁啓超的文章。作爲師輩，嚴復雖規勸梁啓超要下筆慎重，但卻對這位後學的思想表示出極大讚賞，否則不會對一個不滿二十歲的晚輩如此提攜。顯而易見，嚴復的觀點也與前者無二。

1899 年 3 月，王國維在《重刻〈支那通史〉序》中同樣反對君史：

故所貴乎史者，非特褒善貶惡、傳信後世而已，固將使讀其書

〔註 29〕蔡尚思、方行編：《譚嗣同全集》，北京：中華書局，1981 年，第 419 頁。

〔註 30〕參見丁文江、趙豐田編：《梁啓超年譜長編》，上海：上海人民出版社，1983 年；楊庭福：《譚嗣同年譜》，北京：人民出版社，1957 年。

〔註 31〕楊庭福著：《譚嗣同年譜》，北京：人民出版社，1957 年，第 110 頁。

〔註 32〕指 1895～1898 年。參見張朋園：《梁啓超與清季革命》，長春：吉林出版集團有限公司，2007 年，第 53 頁。

〔註 33〕汪征魯、方寶川、馬勇主編：《嚴復全集》卷三，福州：福建教育出版社，2014 年，第 16 頁。

者，知夫一群之智愚貧富強弱之所由然。……二十餘代載籍如海，欲藉此以知一時之政治、風俗、學術，譬諸石層千仞，所存僵石不過一二。其他卷帙紛綸，只爲帝王將相狀事實、作譜系，信如斯賓塞氏「東家產貓」之喻，事非不實，其不關體要亦已甚矣。〔註34〕

特別指出歷史書寫應揭示因果而非僅記載事實。9個月後，1899年12月，他在爲樊炳清（1877～1929）譯桑原騭藏（1871～1932）《東洋史要》所作的序言中將此進一步表述爲：

中國之所謂歷史，殆無有系統者，不過集合社會中散見之事實，單可稱史料而已，不得云歷史。〔註35〕

這幾乎未見於康有爲、徐仁鑄、譚嗣同及嚴復等人的議論中，相較於梁啓超，不難看出似乎王國維更有先見之明。而且，他已能從現代意義上用「歷史」（歷史學）和「史料」兩個概念細化傳統意義上單單一個「史」字下囊蓋的多重含義，若能繼續深入，將在很大程度上避免論爭中雙方對彼此「史」字概念使用的混淆與誤讀，然而他並未如此。就此時史學總體情況而言，剛從經、史、子、集中解放出來的史學一門，還未脫離經學束縛，更不可能存在一套系統的學科建制，距離規範和界定歷史學的相關概念還有一段路程，這是包括梁啓超在內的一代史家無法越過的現實路障。但正是他們的後續討論，逐步明晰和確定了「史」字的多種定義，才促成歷史學科的日臻完善。〔註36〕另外王國維之所以有上述想法是因其「師藤田學士乃論述此書之大恉，而命國維書其端曰：自近世歷史爲一科學，故事實之間不可無系統。抑無論何學，苟無系統之智識者，不可謂之科學」〔註37〕，文章措辭雖是由藤田豐八（1869～1929）命其書之，但也證明王國維已接收到發自科學史學的信號。可見，

〔註34〕謝維揚、房鑫亮主編：《王國維全集》第十四卷，杭州：浙江教育出版社、廣州：廣東教育出版社，2009年，第679～680頁。需注意，此文的公開署名是羅振玉，但在本書中卻明確歸於「代筆之文」並標示有「代羅振玉」字樣。另外，在甘孺輯述的《永豐鄉人行年錄（羅振玉年譜）》（蘇州：江蘇人民出版社，1980年，第19頁）中也提到「文實爲王靜安代作」。故將此文作爲王國維的直接言論證據無任何不妥。

〔註35〕謝維揚、房鑫亮主編：《王國維全集》第十四卷，杭州：浙江教育出版社、廣州：廣東教育出版社，2009年，第2頁。

〔註36〕參見劉俐娜：《由傳統走向近代——論中國史學的轉型》，北京：社會科學文獻出版社，2006年。

〔註37〕謝維揚、房鑫亮主編：《王國維全集》第十四卷，杭州：浙江教育出版社、廣州：廣東教育出版社，2009年，第2頁。

日後對蘭克史學的選擇在此時已初見端倪，這也是更勝梁啓超一籌的地方。

相比於前面提到的學人，王國維稍晚其後，自述經常閱讀《時務報》並對己影響甚巨。1898 年，擔任《時務報》的報館書記，謁見康有爲，致信梁啓超，入東文學社學習，受業於藤田並幫助《農學報》編譯外文。翌年，始擔任學社學監並預備留學日本。〔註 38〕兩篇序言雖在觀點上確有創見，但在「缺乏對歷史學概念的理性認識和論述」〔註 39〕的當時，王國維的論述並未掀起波瀾，基本算是石沉大海，被籠統地併入到舊史批判的大潮之中。

除上述三個關鍵點外，初入 20 世紀的許多佚名文章中業已展開對「一家一姓」君主體制的炮轟，相輔相成的也就是反對君史。如《二十世紀之中國》：「古先儒言論之最便於己者，作一姓機關之學術」，「是故中國之學術，爲一人矣，而中國無學術」，「是故中國之政治，爲一人矣，而中國無政治」，「中國之法律，爲一人也，而中國無法律」，「嗚呼哀哉！中國二千年之學術、政治、法律及一切，一人一家之私教養成之者也」。〔註 40〕再如《原國》：「然所謂秦漢唐宋元明者，一家之謂也；其爭奪相殺，循環無已，皆一家之私事也。國民曰：是所謂朝代也，非國也。是所謂政府也，非國也。」〔註 41〕又如《亡國篇》：「夫清國云者，一家之私號，一族之私名也。」〔註 42〕由此，史學與現實的縮合即表現在打破朝廷與國家的二位一體，否定封建王朝而反對君史，「國家」概念與「史」直接掛鉤，成爲論爭的焦點問題之一。

綜上所述，從趙必振到王國維，大都明確地具有「無史」思想，有的則直接使用「無史」的類似字樣，如梁啓超的「中國前者未嘗有史」、馬君武的「無歷史」、徐仁鑄的「安得謂之史」及王國維的「不得云歷史」等。他們以二十四正史爲主要對象，兼及其他史書，在已有批判的基礎上繼續深入。對「無史」的闡發大致可概括爲三層內涵：第一，無史學（含無體現進化與揭

〔註 38〕參見袁英光、劉寅生編著：《王國維年譜長編（1877～1927）》，天津：天津人民出版社，1996 年。

〔註 39〕劉俐娜：《由傳統走向近代——論中國史學的轉型》，北京：社會科學文獻出版社，2006 年，第 116 頁。

〔註 40〕張枬、王忍之編：《辛亥革命前十年間時論選集》第 1 卷，北京：三聯書店，1960 年，第 68 頁。

〔註 41〕張枬、王忍之編：《辛亥革命前十年間時論選集》第 1 卷，北京：三聯書店，1960 年，第 63 頁。

〔註 42〕張枬、王忍之編：《辛亥革命前十年間時論選集》第 1 卷，北京：三聯書店，1960 年，第 91 頁。

示規律之史）研究；第二，無民史（含風俗史）類史籍；第三，無良史家。也就是說，「無史」的「史」字在他們那裡分別包含「史學研究」、「史籍」及「史家」三種含義，但前提都是以域外史學爲參照，即只有在中外比較之下三者才能成立。經爬梳，惟有梁啓超對此闡述最全，其他人都只是論說到其中一點或兩點且分析欠缺。雖然「中國無史」四字連用或最早由趙必振概括，但針對的是以梁啓超爲代表的「談新史學者」而並非己見。而且，在日後論爭中，或肯或否，雙方都多次以梁啓超爲標杆，足見《中國史敘論》尤其是《新史學》承載的「無史」論影響之巨。故無論從思想性還是從鼓動性，將先導位置歸於梁啓超當是實至名歸。

第二節　何以「無史」：日本「無史」說與「中國停滯」論的影響考察

近代以來，中外交流加速，學術變化開始更多地受到域外影響。20世紀初，「無史」論的嶄露不能不優先考慮日本史學的侵染。

19世紀中後期，文明史觀成爲日本明治維新時代的「主導性思潮」〔註43〕。隨後，「文明」一詞連同承載代表人物觀點的著作一齊傳入中國。較爲典型的是，首先，1890年前後，在黃遵憲（1848～1905）《日本國志》還以抄本形式流佈時，文內注釋就已提到福澤諭吉（1835～1901）。其次，1896年，《時務報》創刊，此後在「東文譯編」欄目大量刊載選自《日本新報》、《東京日日報》、《讀賣新報》及《東京經濟雜誌》等日文報刊上的中譯文章。據統計，至1898年的「《時務報》中，『文明』共出現了107次」，其中「101次爲civilization之翻譯；而且101次之中幾乎都是從日文的文章中翻譯而來」。〔註44〕其三，1897年底，康有爲《日本書目志》成書，收錄福澤諭吉《〈國會之前途〉、〈治安小言〉、〈國會難局之由來的粗論〉合本》、《民間經濟錄》與《文字之教》等，收錄田口卯吉（1855～1905）《日本開化之性質》、《經濟學》及《續經濟策》等，還收錄《文明要論》與《歐羅巴文明史》（原氏，永峰秀樹譯）、《日本開化小史》（田口久松）、《日本文明略史》（福田久松）及《日本文明史略》

〔註43〕（日）永原慶二：《20世紀日本歷史學》，北京：北京大學出版社，2014年，第16頁。

〔註44〕黃克武：《從「文明」論述到「文化」論述——清末民初中國思想界的一個重要轉折》，《南京大學學報》，2017年第1期。

（物集高見）等。〔註 45〕其四，同年，藤田豐八應羅振玉之邀至中國，之後擔任《農學報》的日文翻譯。在他之前，古城貞吉（1866～1949）早已在負責《時務報》的「東文譯編」欄目。如此一來，報刊中人如黃遵憲、梁啓超、王國維及汪康年（1860～1911）等得以直接借日本學者之口知曉日本境況並四處傳佈。在梁啓超所發表的文章中，便明顯表露出對文明觀的採納和對本國文明遠落後於它國的不滿與憂慮，如《〈沈氏音書〉序》:「日本百人中識字者，亦八十餘人。中國以文明號於五洲，而百人識字者，不及三十人」〔註 46〕。最後，如顏永京（1839～1898）、盧憨章（1854～1928）、宋恕（1862～1910）及唐才常（1867～1900）等人也都不同程度地促成日本文明史觀在國內的散播與實踐。〔註 47〕

就梁啓超而言，1898 年 9 月，變法失敗而外逃日本，卻得以實地考察日本學術爲己所用。通過自創和文漢讀法，盡可能多地閱讀日文原版書刊，對日本史家的認識已不再局限於過去數本譯書上的鉛印文字。其中，給予梁啓超最大影響者應是福澤諭吉。

還在國內時，福澤諭吉的名字已在黃遵憲《日本國志》及康有爲《日本書日志》等書中出現，考慮到其他途徑的傳播，「所以有理由推測梁啓超在中國時已經知道福澤，也許他在戊戌變法前已讀過《文明論之概略》」〔註 48〕。此時在日本，《福澤諭吉全集》五卷本正在刊行，福澤諭吉本人卻因腦溢血躺在病床之上，〔註 49〕性命垂危，可見二人似乎沒有會面的可能。但從字裏行間看，梁啓超已將福澤諭吉當成「日本西學第一之先鋒」〔註 50〕，認爲「日本人知有西學，自福澤始」,「偉大而不可思議」。〔註 51〕而且，這時發表的一

〔註 45〕參見蔣貴麟主編：《康南海先生遺著彙刊》第 11 卷，臺北：宏業書局，1976 年，第 184、209、432、203、209、130、135 頁。

〔註 46〕梁啓超：《〈沈氏音書〉序》，《時務報》第 4 冊，1896 年 9 月 7 日。

〔註 47〕參見黃興濤：《晚清民初「文明」和「文化」概念的形成及其歷史實踐》，《近代史研究》，2006 年第 6 期。

〔註 48〕（日）狹間直樹編：《梁啓超・明治日本・西方》，北京：社會科學文獻出版社，2001 年，第 102～103 頁。另參見班瑋：《梁啓超與福澤諭吉》，《文史哲》，2004 年第 3 期；王晴佳：《中國近代「新史學」的日本背景——清末的「史界革命」和日本的「文明史學」》，《臺大歷史學報》第 32 期，2003 年 12 月。

〔註 49〕參見閔鋭武：《梁啓超與福澤諭吉啓蒙思想在清末中國的傳播與影響》，《河北學刊》，2000 年第 6 期。

〔註 50〕張品興主編：《梁啓超全集》第 2 卷，北京：北京出版社，1999 年，第 359 頁。

〔註 51〕張品興主編：《梁啓超全集》第 2 卷，北京：北京出版社，1999 年，第 557 頁。

系列文章無一不是在接受福澤諭吉對文明概念的日本化解讀，接受以西方爲中心構建出的文明體系，並開始以此爲標準衡量世界。如《〈清議報〉敘例》寫道：「挽近百餘年間，世界、社會日進文明，有不可遏抑之勢。」〔註52〕再如《論中國宜講求法律之學》述到：「人之所以戰勝群獸，文明之國所以戰勝野番，胥視此也。」〔註53〕又如《國民十大元氣論》提到：「今所稱識時務之俊傑，孰不曰泰西者文明之國也，欲進吾國，使與泰西各國相等，必先求進吾國之文明，使與泰西文明相等。此言誠當矣。雖然，文明者，有形質焉，有精神焉。求形質之文明易，求精神之文明難。」〔註54〕可見，這些言論的最大共同點在於：認爲文明落後是國家落後的最大原因，並試圖推動中國擠入世界文明的發展序列中去。這些與福澤諭吉在《文明論概略》中的觀點具有極高的相似度。此外，在《中國史敘論》和《新史學》中，對「文明」一詞的直接使用不下33次，對「進化」、「因果」、「社會」、「國民」及「公理公例」等文明史觀下常用概念的引述更是俯拾即是，進一步可確定梁啓超對福澤諭吉的思想和對文明史觀的推崇。〔註55〕

既如此，福澤諭吉對日本史學的看法則很有可能影響梁啓超對中國史學的態度。1875年8月，福澤諭吉在《文明論概略》中論說日本的史學發展：

> 直到目前爲止，日本史書大都不外乎說明王室的世系，討論君臣有司的得失，或者像說評書者講述戰爭故事那樣記載戰爭勝負情況。就是偶而涉及與政府無關的事，無非是記載一些有關的佛教的荒誕之說，是不值得一看的。總而言之，沒有日本國家的歷史，只有日本政府的歷史。這是由於學者的疏忽，可以說是國家的一大缺點。至於新井先生的『讀史餘論』，也是屬於這一類的史書。該書雖然論到天下大勢的變化，但實質上並不是天下大勢的變化，早在王室時代局勢已定。〔註56〕

此中可得的重要信息是：日本無國史。但這種明確的表述在全書中僅出現過一次，也未見於福澤諭吉的其他著作，可能是因爲他並非專業史家，「目的不

〔註52〕梁啓超：《〈清議報〉敘例》，《清議報》第1冊，1898年12月23日。

〔註53〕梁啓超：《論中國宜講求法律之學》，《清議報》第5冊，1899年2月2日。

〔註54〕張品興主編：《梁啓超全集》第2卷，北京：北京出版社，1999年，第267頁。

〔註55〕參見劉文明：《歐洲「文明」概念向日本、中國的傳播及其本土化述評》，《歷史研究》，2011年第3期；鄭匡民：《梁啓超啓蒙思想的東學背景》，上海：上海書店出版社，2003年。

〔註56〕（日）福澤諭吉：《文明論概略》，北京：商務印書館，2009年，第145頁。

在於改造日本的史學，而是有著鮮明且又複雜的政治關懷」〔註 57〕。即便這樣，此段內容仍常被用作「日本無國史」說的典型例證。〔註 58〕發此言論針對的是如新井白石（1657～1725）一樣持儒家史觀的意識形態集團，批判舊史之餘，他主張破除君臣（儒教）名分論，重新樹立新政權的近代理念。至於「國史」（國家的歷史）一詞的採用，直接考量則是認爲「文明」一詞英語叫作『civilization』，來自拉丁語的『civilidas』，即「國家」，「是形成一個國家體制的意思」。〔註 59〕變言之，無「國史」即等於無「文明史」。將「文明」與「國家」合二爲一，與政客型啓蒙思想家福澤諭吉的個人國家觀密切相連，更與明治維新初期以福澤諭吉爲代表的開化派在文明史觀影響下力圖實現國家獨立、重塑近代國家的政治取向不可分割。

此外，他還在書中提到，自從王室時代：

> 分成統治者與被統治者兩種成分和劃分了兵農以後，這種界限更加明確，直到今天，從未發生任何改變。……日本自建國以來二千五百餘年間，政府的所作所爲，完全是同樣事情的重複。這就好像多次誦讀同一版本的書，或多次表演同一齣戲劇一樣。……國內局勢從不改變。〔註 60〕

可見，福澤諭吉流露出一個至關重要的認識：停滯。

對日本「無史」的說法，1897 年 3 月 23 日，梁啓超在《時務報》第 21 冊《〈日本國志〉後序》中曾有論到：

> 日本立國兩千年，無正史，私家紀述，穢雜不可理。〔註 61〕

對此，康有爲在《日本書目志》中也表示認同：

> 日本以武門柄政，舊無國史，至德川氏始崇文學。而物茂卿、新井君、美賴襄之流，乃出始著史事。正史體裁，猶未備，本無可采焉。惟自維新以來，大變政俗，以成富強。〔註 62〕

〔註 57〕王晴佳：《中國近代「新史學」的日本背景——清末的「史界革命」和日本的「文明史學」》，《臺大歷史學報》第 32 期，2003 年 12 月。

〔註 58〕參見孫江、劉建輝主編：《亞洲概念史研究》，北京：三聯書店，2013 年，第 129～130 頁；胡逢祥、張文建：《中國近代史學思潮與流派》，上海：華東師範大學出版社，1991 年，第 210 頁。

〔註 59〕（日）福澤諭吉：《文明論概略》，北京：商務印書館，2009 年，第 32 頁。

〔註 60〕（日）福澤諭吉：《文明論概略》，北京：商務印書館，2009 年，第 145～146 頁。

〔註 61〕梁啓超：《〈日本國志〉後序》，《時務報》第 21 冊，1897 年 3 月 23 日。

〔註 62〕蔣貴麟主編：《康南海先生遺著彙刊》第 11 卷，臺北：宏業書局，1976 年，第 151 頁。

這時的師生二人皆未出國，日本無正史、無國史的看法很可能來自編纂書目志時的所見譯書。藉此可證明日本確實有過一些「無史」言論，也可推測這樣的看法對梁啓超的中國「無史」論產生過某種影響。

那麼，福澤諭吉的上述認識是從何而來？「無國史」與「停滯」間又是否存在聯繫？這就有必要先對「停滯」一說作出簡要梳理。

歷史上看，18世紀，維柯（1670～1744）〔註63〕已提出：「中國在幾百年前還和世界其他部分隔絕」，「經過了那樣長的時間，現在還在用象形文字書寫」，「中國人具有最精妙的才能，創造出許多最精細驚人的事物，可是到現在在繪畫中還不會用陰影」。〔註64〕孟德斯鳩（1689～1755）認爲中國持續了上千年的專制系統，朝代更迭只是「經歷了二十二次一般性的革命——不算無數次特別的革命」〔註65〕。伏爾泰（1694～1778）和亞當・斯密（1723～1790）用「一直沒有明顯變化」、「停留」、「停滯不前」〔註66〕及「靜止狀態」〔註67〕等語詞概述之。〔註68〕稍晚於後的赫爾德（1744～1803）則認定「只有在歐洲，人類生活才眞正具有歷史，中國、印度和美洲的土族都沒有眞正的歷史進步，有的只是停滯不變的文化」〔註69〕。

直到19世紀20年代，黑格爾（1770～1831）將此觀念歷史哲學化：

> 中國很早就已進展到了它今日的情狀；但是因爲它客觀的存在和主觀運動之間仍然缺少一種對峙，所以無從發生任何變化，一種終古如此的東西代替了一種眞正的歷史的東西。〔註70〕

首先，從本質上看，中國無「眞正的歷史」（the truly historical），也就是只有「非歷史的歷史（unhistorical History）」，〔註71〕深化了赫爾德所言只有歐洲

〔註63〕有關維柯生年，據《新科學（附錄）》記載是1670年，但據譯者朱光潛及目前的普遍認識則是1688年。

〔註64〕（意）維柯：《新科學》，北京：商務印書館，1989年，第84頁。

〔註65〕（法）孟德斯鳩：《論法的精神》，北京：商務印書館，1995年，第103頁。

〔註66〕（法）伏爾泰：《風俗論》，北京：商務印書館，2000年，第239、248、264頁。

〔註67〕（英）亞當・斯密：《國民財富的性質和原因的研究》，北京：商務印書館，1983年，第66頁。

〔註68〕參見（美）柯文：《在中國發現歷史》，北京：中華書局，2002年；盛文沁：《「停滯」與19世紀歐洲政治思想：約翰・密爾論中國》，《社會科學》，2015年第5期。

〔註69〕參見（美）柯文：《在中國發現歷史》，北京：中華書局，2002年，第56頁。

〔註70〕（德）黑格爾：《歷史哲學》，上海：上海書店出版社，2006年，第110頁。

〔註71〕（德）黑格爾：《歷史哲學》，上海：上海書店出版社，2006年，第97頁。

的人類生活才「眞正具有歷史」的看法。其次，與此交織，他稱中國爲「帝國」，是「最古老的國家」，承認「歷史作家的層出不窮、繼續不斷，實在是任何民族所比不上的」。〔註 72〕但如此輝煌的史學成就——這自然不是黑格爾的「歷史」概念——卻同時是中國被排斥在世界局外、阻礙整體進步的致命因子。那麼「成敗蕭何」之間，是什麼緣故讓中國敗倒在近代西方的歷史認識面前？在他的歷史哲學體系中，一個重要解釋是「一種終古如此的固定的東西」、是「重複的終古相同的莊嚴的毀滅」、是「永無變動的單一」，〔註 73〕若總匯到一個詞語中，即：停滯（stagnation）；而「眞正的歷史」的東西，是客觀存在與主觀運動（subjective freedom of movement）的對峙，是「『精神』與『熱情』的互動」〔註 74〕，是絕對「精神（或理念）充分實現並回復到自己的辯證過程」〔註 75〕，概而言之，即：發展（development）。簡單地說，「停滯」即「非歷史」的，「發展」即「有歷史」的，「無（眞正）歷史」不是「no History」而是「unhistorical History」。此處的「歷史」側重「發展」的社會進程，既非史學研究，也非史學著作，與上一節中梁啓超等人的「無史」觀不可同論。按此邏輯，不體現「歷史」的史學，估計在黑格爾看來也絕非良品。最後，至於爲何如此，黑格爾給出了指向「國家–家庭–個人」三位一體的、最體現民族性的自由精神的缺乏的答案，比如國家專制、家庭道德及個人意志。追究此種認識的產生，不能逃開德國的理念主義，更不能逃開啓蒙史觀影響下對傳統認識的顚覆。

自此後到 20 世紀初，蘭克（1795～1886）認同中國史學處於原始狀態、中國民族處於停滯狀態的表述。〔註 76〕托克維爾（1805～1859）延續前人觀點，認爲中國「民族的精神已陷入罕見的停滯狀態」，「未能進行任何變革」，「知識源泉已經乾涸」。〔註 77〕密爾（1806～1873）作爲亞洲停滯的堅定論者，

〔註 72〕（德）黑格爾：《歷史哲學》，上海：上海書店出版社，2006 年，第 110 頁。

〔註 73〕（德）黑格爾：《歷史哲學》，上海：上海書店出版社，2006 年，第 98、107、110 頁。

〔註 74〕王晴佳：《中國文明有歷史嗎——中國史研究在西方的緣起、變化及新潮》，《清華大學學報》，2006 年第 1 期。

〔註 75〕張廣智主著：《西方史學史》，上海：復旦大學出版社，2012 年，第 235 頁。

〔註 76〕參見（英）雷蒙・道森：《中國變色龍：對於歐洲中國文明觀的分析》，北京：時事出版社，1999 年，第 93 頁。

〔註 77〕（法）托克維爾：《論美國的民主》，北京：商務印書館，1991 年，第 565～566 頁。

主張以中國爲鑒，因爲「他們卻已變成靜止的了」，「幾千年來原封未動」。〔註 78〕斯特朗（1847～1916）也同意中國「個人發展很早受到抑制，從而使萬物停滯不前」〔註 79〕。此外，像孔多塞、赫爾德、愛默生、馬爾薩斯及馬克思等人也都有過類似論述。

用現在的學科體系看，雖然他們的研究涉及哲學、史學、經濟學、政治學、人類學、民俗學、社會學及人口學等諸多領域，但都得出了「中國停滯」的認知，至 20 世紀早已成爲一種普遍認識。尤其是黑格爾的學說，明顯具有承上啓下的獨特意義。

其一，認識的得出建立在對中國社會進程的詳析之上。翻閱文獻發現，早先學者的論述多是蜻蜓點水，黑格爾則不然。從典籍、疆土、人口到家庭、行政、刑罰再到民族、宗教、科學，對這些方面的評論皆程度不一的存在於《歷史哲學》、《哲學史講演錄》、《美學講演錄》及《宗教哲學講演錄》等著作中。雖然是出於特定目的且很多論點立不住腳，但並不妨礙藉此證明其論證過程的詳備。也正因此，在某種意義上爲西方瞭解中國提供了非原始的「原始史料」，延續並擴大了認識的偏見和謬誤。其二，在「中國停滯」論的前期，黑格爾的首創之處在於：將「停滯」概念歷史哲學化，形成歷史哲學層面上的「中國無（眞正）歷史」觀。另外，「前所未有地從歷史哲學來神化今日歐洲的優勢」，「而在哲學上貶低亞洲文化的當時人物」，〔註 80〕加深了此種觀念的影響力，如之後的馬克思、魏特夫及韋伯等人都未擺脫。

除談到中國外，也有部分學者談到埃及與印度等東方國家。如孟德斯鳩說道：「東方今天的法律、風俗、習慣，甚至那些看來無關緊要的習慣，如衣服的樣式，和一千年前的相同。」〔註 81〕再如黑格爾述到：「像中國一樣，印度是又古老又近代的一種形態；它一向是靜止的、固定的，而且經過了一種最十足的閉關發展。」〔註 82〕又如基佐（1787～1874）寫道：「在埃及和印度，文明原則的單一性有一個不同的效果：社會陷入了一種停滯狀態。單一性帶來了單調。國家並沒有被毀滅，社會繼續存在，但一動也不動，彷彿凍僵了」，

〔註 78〕（英）密爾：《論自由》，北京：商務印書館，2007 年，第 85 頁。

〔註 79〕（美）柯文：《在中國發現歷史》，北京：中華書局，2002 年，第 93 頁。

〔註 80〕（德）於爾根·奧斯特哈默：《亞洲的去魔化：18 世紀的歐洲與亞洲帝國》，北京：社會科學文獻出版社，2016 年，第 540 頁。

〔註 81〕（法）孟德斯鳩：《論法的精神》，北京：商務印書館，1995 年，第 231 頁。

〔註 82〕（德）黑格爾：《歷史哲學》，上海：上海書店出版社，2006 年，第 129 頁。

「歐洲文明是世界的忠實的映像：正像世界上一切事物的進展那樣，它既不狹隘、排外，也不停滯不動。」〔註83〕

由此，「停滯」針對的是以中國、印度及埃及等所謂文明古國爲代表的東方世界，日本自然也被涵蓋其中，雖很少被直接論述，但言及之地也多是抑大於揚、貶大於褒。

經上分析，作爲普識，「『停滯』是個文明歷史的概念，並不表示一個停滯的民族缺乏重大活動與政治事件的歷史。相反，統治人物的不斷更換，一系列的『革命』，這些完全可能和停滯狀態一起出現。停滯多半指的是風俗習慣、知識與情緒特質、統治形式與生活方式長期以來未曾改變的狀態，指的是一個民族或整個文化圈子的物質生活與思維能力彷彿停滯不前」〔註84〕。不管是維柯、伏爾泰還是黑格爾、托克維爾，他們的陳述都能爲之作注。

這一觀念東傳日本的過程，似沒有直接文本可尋，但仍可從日本對西學的接受中獲得一點蛛絲馬蹟。簡要地說，日本對西學的系統引入自「蘭學」發端，最初主要以醫學、天文學、語言學及論理學爲主。「黑船來航」至德川幕府末年，人文及社會科學領域開始勃興，政治學、法律學及西洋歷史等被陸續翻譯成日文並開始向美國、英國及法國等地派遣使節團和留學生。其中，西周（1829～1897）、津田眞道（1829～1903）、中村正直（1832～1891）及福澤諭吉等首批赴外生已經接觸到笛卡爾、黑格爾及康德的學說，並翻譯了盧梭（1712～1778）《民約論》和《民約譯解》、密爾《論自由》及孟德斯鳩《論法的精神》等書。〔註85〕這些著作中已明確含有「停滯」色彩，雖未留給日本很多篇幅，但作爲東方世界的一部分，尤其此時正深陷近代危機之中，以此反思本國是否具有「停滯」特徵也合乎情理。更何況，「停滯」概念本身的文明歷史屬性與文明史觀的下屬含義合拍，而且作出相關論斷的基佐等人又是福澤諭吉文明史觀形成的重要影響者。

據此，回到福澤諭吉在《文明論概略》中的論述，可大致確定有關「停

〔註83〕（法）基佐：《歐洲文明史》，北京：商務印書館，2009年，第24、28頁。

〔註84〕（德）於爾根·奥斯特哈默：《亞洲的去魔化：18世紀的歐洲與亞洲帝國》，北京：社會科學文獻出版社，2016年，第537～538頁。

〔註85〕譯書書名不一，有些較爲生僻。爲方便理解，在此僅列出常用書名。參見王峰：《近代中日西學輸入問題比較研究》，山東大學2008年碩士學位論文；李少軍：《試論明治變革時期日本對待西學的基本態度》，《武漢大學學報》，2002年第5期。

滯」的表達源自西方而非本土。那麼，梁啓超是否也受到了「停滯」論的影響？

到達日本後，梁啓超得以接觸到更多的「日文西知」〔註 86〕，可推測對「停滯」一說應有所耳聞。如《論學術之勢力左右世界》中提到笛卡爾、孟德斯鳩、盧梭、亞當·斯密、伯倫知理、達爾文、康德、密爾及斯賓塞等人，〔註 87〕再如《宗教家與哲學家之長短得失》中提到斯賓諾莎、黑格爾、達爾文及康德等人，〔註 88〕還有如《法理學大家孟德斯鳩之學說》、《進化論革命者頡德之學說》及《天演學初祖達爾文之學說及其略傳》等文章都在紹介西學，梁啓超很可能是從中獲取到了此類信息。而且，他也已有認同「中國停滯」的表述，如「中國自數千年以來，皆停頓時代也，而今則過渡時代也」〔註 89〕，再如「中國以地太大、民族太大之故，故其運動進步常甚遲緩。二千年來，未嘗受亞洲以外大別種族之刺激，故歷久而無大異動也」〔註 90〕，又如「思想不進」、「循環往復」和「止而不進」等用詞。〔註 91〕由此，也可大致確定梁啓超受到了來自西方的「停滯」論的影響。

至此，前面提出的第一個問題，即「停滯」認識從何而來，已經得到解決。對於第二個問題，即日本「無國史」說，連帶梁啓超的中國「無史」論，是否與這一認識有關，可從以下兩點考慮。

首先，從「停滯」論本身來說，主要有兩點值得注意。第一，「停滯」論是「西方中心」論的重要內核。18 世紀，經濟上的工業革命，思想上的啓蒙運動，新興階級開始謀求政治上的利益地位，西方各國出現不同程度的變革，尤以法國大革命最爲著名。投射在史學層面，因啓蒙運動而起的理性（啓蒙）主義史學使這一時段成爲「西方歷史學由傳統步入近代的開合的大關鍵」〔註 92〕，書寫開始向線性時間觀轉向，由此啓始了以西方爲中心的

〔註 86〕參見張朋園：《梁啓超與清季革命》，長春：吉林出版集團有限公司，2007 年，第 26 頁。

〔註 87〕梁啓超：《過渡時代論》，《清議報》第 83 冊，1901 年 6 月 26 日。

〔註 88〕張品興主編：《梁啓超全集（第 2 卷）》，北京：北京出版社，1999 年，第 359 頁。

〔註 89〕梁啓超：《宗教家與哲學家之長短得失》，《新民叢報》第 19 號，1902 年 10 月 31 日。

〔註 90〕梁啓超：《中國歷史研究法》，北京：中華書局，2011 年，第 174 頁。

〔註 91〕參見梁啓超：《中國歷史研究法》，北京：中華書局，2011 年，第 181～182 頁。

〔註 92〕何兆武：《對歷史學的反思》，參見（美）唐納德·R·凱利：《多面的歷史：從希羅多德到赫爾德的歷史探詢（序言）》，北京：三聯書店，第 3 頁。

歷史意識的建構，突出表現是反封建專制、倡自由民主。19 世紀，出於對法國大革命的反動，開始強調民族的核心地位。反映在史學層面，書寫開始向民族、國家轉向。此點在上述「停滯」論中也有所體現，如蘭克和托克維爾等人已在文明之外加入民族停滯性的論說。以此出發，相比於作爲殖民地且又文明古老的埃及、印度加上遠在東邊且又以專制著稱的中國而言，西方的優勢令它意欲重構文明版圖，中心位置自然留給自己。由此，不以線性進化爲理念、不以自由民主爲方向的社會都是停滯的、邊緣的。第二，「停滯」論的產生沒有東方世界的出席。儘管他們從傳教士書信的集結出版、各類經典譯著以及歷史撰寫中獲得了東方認識，但發聲的只有西方，直到 19、20 世紀日本和中國才作出回應。

其次，從日本和中國兩方來說，也有兩點值得注意。第一，選擇在 19、20 世紀作出回應並非偶然。日本方面，明治維新，百廢待興。中國已自顧不暇，失去所謂的「老大」地位，西方卻正自戀地高呼文明優勝。無論是軍事勝敗還是經濟興衰，似乎一切事實都在證明東方正在或已經沒落。那麼如何改變？不管是受西來書籍中文明思想的薰染，〔註 93〕還是受文明階梯論（文明—半文明—野蠻）的影響，亦或是受改革政策中文明開化條例的驅動，以福澤諭吉爲代表的第一代啓蒙家選擇以文明論爲指導，主張脫亞入歐並將中國和朝鮮視爲不思進取、無可救藥和只會扯日本後腿的「壞朋友」，〔註 94〕雖在初期受到來自國學神道派、漢學者及實證派等傳統派和其他新派力量的掣肘，但最終取得主導地位，並在史學層面，開始借文明史觀解釋歷史歷程進而逐漸擺脫「停滯」，且甲午海戰的勝利證明了選擇的正確性。時隔 30 年，中國變法維新，以日爲師，實質仍是以西爲師，此外無路可選，畢竟現成的例子擺在面前。器物、制度在學，卻還是一敗再敗，那麼能夠撼動「中體」的文化是否要學？梁啓超給出了肯定回答。史學層面，他已認識到以西方爲中心的研究範式正在形成，「今世之著世界史者，必以泰西各國爲中心點，雖日本、俄羅斯之史家（凡著世界史者，日本、俄羅斯皆擯不錄）亦無異議焉」〔註 95〕，故中國史學要想融入世界就必須用其理論武裝自己。作爲中西都承

〔註 93〕據（德）埃利亞斯《文明的進程》，「文明」一詞在 18 世紀中葉出現，至 19 世紀初已爲歐洲知識界廣泛運用。參見劉文明：《歐洲「文明」觀念向日本、中國的傳播及其本土化述評》，《歷史研究》，2011 年第 3 期。

〔註 94〕參見（日）福澤諭吉：《脱亞論》，《時事新報》（日），1885 年 3 月 16 日。

〔註 95〕梁啓超：《中國歷史研究法》，北京：中華書局，2011 年，第 162 頁。

認的文明古國，選擇文明論似乎再合適不過。如果說西方是借文明源遠來嘲笑中國落敗，那梁啓超則顯然是想「以子之矛，攻子之盾」，借同一個問題反證中國的希望進而逐步脫離「停滯」。由此，如果 18 世紀的沉默是不屑，那麼 19、20 世紀的回應則是不得不。第二，爲什麼福澤諭吉和梁啓超兩位先時人物都自然而然地接受了「停滯」論背後以西方爲中心的一元性順序而未作出反駁？對此上面第一條已作出解答。再借用石川禎浩先生的話說，不管接受與否，19 世紀的日本和中國都不得不正面這樣的世界體系，也不得不首先要認識一種非自己的價值存在，〔註 96〕才能實現自我價值的本土回歸。啓蒙時代，若不是內向突破，便只能求諸於外，求諸強勢一方的話語體系。很明顯，他們傾向的都是後者。

由此可見，面臨國家危機的日本與中國，前後都作出學習西方的決定，體現在史學層面則是迎合以西方爲中心的理論體系重寫本國史。作爲對「停滯」的回擊，與之相對的「發展」、「進化」成爲熱點，突出表現在對文明史觀的優先接受。傳統史觀遭到否定，受此支配下的舊史學地位一落千丈，極端批駁便是「無史」論的出現。而且，「停滯」論含義豐富，在 19 至 20 世紀以獨立民族國家爲目標的背景下，突出表現在對長期專制的批判，所以「無史」的主要內容是反對君史。正因此，不免會存在單一化、簡單化的過渡傾向：因爲長期專制，社會「停滯」（「靜止」），故而一律「無史」，長期「專制」等於「停滯」等於「無史」。以偏概全，抹殺了以專制政體爲主下的社會變動，也抹殺了以君史爲主外的其他形式。

綜上所述，梁啓超在逃亡日本前，已在國內受到日本文明史學和西方學說的影響，對日本「無史」說也有所聽聞。到日本後，著重接觸福澤諭吉文明史觀的同時，也接觸到了以西方爲中心的「停滯」論。受二者衝擊，尤其是日本的實踐成例，加之國內氛圍和自身舊說，共同刺激了梁啓超「無史」論的產生。值得一提的是，這種現象並非只出現在日本和中國，俄國和印度也同樣存在。據梁啓超說：「法國名士波留氏，嘗著《俄國通志》。其言曰：俄羅斯無歷史。非無歷史也，蓋其歷史非國民自作之歷史，乃受自他者也。」〔註 97〕據馬克思言：「印度本來就逃不掉被征服的命運，而且它的全部歷史，如果要算做它的歷

〔註 96〕參見（日）狹間直樹編：《梁啓超・明治日本・西方》，北京：社會科學文獻出版社，2001 年，第 95 頁。

〔註 97〕梁啓超：《中國歷史研究法》，北京：中華書局，2011 年，第 162 頁。

史的話，就是一次又一次被征服的歷史。印度社會根本沒有歷史，至少是沒有爲人所知的歷史。我們通常所說的它的歷史，不過是一個接著一個的征服者的歷史。」〔註 98〕在《全球史學史》中對此也有論述：「在 19 世紀的英國殖民者把歷史引進印度之前，印度沒有歷史」，「一層意思是說印度的文明沒有變化」，另一層意思是說，「歷史是英國的舶來品，此前，沒有一個印度的歷史學家寫過歷史」，「古代印度確實沒有現代形態的歷史寫作傳統。」〔註 99〕可見，不管「無史」含義如何，此種認識的出現大都是以西方爲參照、爲標準的結果。由此來看，中國「無史」論的出現並非全然是本土因素，也被拉進了全球史學的發展之中。

〔註 98〕中央著作編譯局編譯：《馬克思恩格斯全集》第 13 冊，北京：人民出版社，1961 年，第 246 頁。

〔註 99〕（美）伊格爾斯、王晴佳：《全球史學史——從 18 世紀到當代》，北京：北京大學出版社，2011 年，第 40～42 頁。

第二章　「無史」與「有史」的較量

在20世紀中國學術史的版圖上，不論從哪個角度，梁啓超都是必不可缺的一塊，尤其是在新史學運動中，急先鋒非其莫屬。「無史」一出，激起千層浪，響應者有之，反對者亦有之，但他卻沒有再作評議，論爭完全轉移到他人手中展開，直到1910年前後方漸銷聲。中心人物裏，最先予以支持和回擊的分別是鄧實和馬敘倫，大致可以代表論爭中的正反兩方。其他人物中，陳黻宸由主張「無史」而轉爲傾向「有史」，但前後變化卻非同因，劉成禺、曾鯤化、鄒容及劉師培等人和杜士珍、陳懷、盛俊及章太炎等人則分別固守各自立場，觀點大致可以涵蓋論爭所涉問題。必須申明，「無史」與「有史」兩方劃分的主要依據是文章中的明確文字或主導論點，並不意味著彼此絕緣，也不意味著一方對另一方全盤否定。〔註1〕

第一節　「中國無史矣」：鄧實的接力

梁啓超提出「無史」時正身處日本，早先的聲援者也主要是同在日本的馬君武和趙必振，國內是否能及時接收到他們的言論？

1902年前後，報刊的傳播方式已發生改變，傳播速度大大加快。首先，對載有《中國史敘論》和《新史學》的《清議報》和《新民叢報》來說，已增強商業屬性，一改維新時期《強學報》那種靠眾人捐款才能維持、憑四處贈送才能宣傳的被動局面。在國內，「《清議報》通過何擎一在上海向全國各地廣爲發行」，「每冊平均都要銷售三四千份，讀者人數當不下四五萬人，甚

〔註1〕參見王學典、陳峰：《二十世紀中國歷史學》，北京：北京大學出版社，2009年。

至還出現了盜版翻刻的情況」。〔註2〕隨後的《新民叢報》,「則基本形成了獨自完備的銷售體系，其中包括海外和全國性銷售網點的建立、出版時間固定化、訂閱價格的各種優惠辦法以及支付購閱款項的具體措施」〔註3〕。此種盛況的出現應主要歸功於康有為和梁啓超的影響力。當時，二人以戊戌政變當事人的身份出逃日本，通緝令遍天，國人鮮有不知。到日本後，又將這一熱點事件的原委陸續發在《清議報》上，加之嚴查和禁閱反倒令眾人的好奇心增強，極大地保證了報刊的受關注度。〔註4〕而之後的《新民叢報》，團隊成員基本未變，延續既有宗旨和文風，較之《清議報》有過之而無不及。其次，對承有馬君武和趙必振「無史」論的《日本維新三十年史》和《法蘭西近世史》來說，已由上海的廣智書局和出洋學生編輯所出版。其中，廣智書局明面上雖是由港商馮鏡如創辦，但實際上卻受梁啓超等人的「遙控指揮，屬於保皇會下屬的實業機構」,「帶有秘密政治組織的性質」。〔註5〕換言之，凡經此發行的書刊大都代表梁啓超一方的意志，而這又為前面論述到的趙必振與梁啓超的關係增加了一條證據。

由此，在國內及時接收到他們的言論沒有任何問題。在之後的諸多支持者中，最先且最具威力的當是鄧實（1877～1951）。

1902年8月18日，在《新史學》「歷史與人種之關係」一節連載的同一天，鄧實於自辦雜誌《政藝通報》第12期「史學文編」欄目發表《史學通論》〔註6〕，引用梁啓超給出的史學定義：「又聞之新史氏矣。史者，敘述一群一族進化之

〔註2〕吳宇浩：《廣智書局研究》，復旦大學2010年碩士學位論文。

〔註3〕王志松：《近代報刊與日本政治小說的傳播——以〈清議報〉、〈新民叢報〉為考察對象》,《東方叢刊》，1999年第3輯。

〔註4〕參見吳宇浩：《廣智書局研究》，復旦大學2010年碩士學位論文。

〔註5〕吳宇浩：《廣智書局研究》，復旦大學2010年碩士學位論文。

〔註6〕1902年9月2日，此文在《政藝通報》第13期「史學文編」欄目連載。據考,《史學通論》包括「史學通論一」至「史學通論四」四個部分，不存在「史學通論五」（參見《政藝通報》第13冊「目錄」處）。若檢索全國報刊索引數據庫「《史學通論》」一條，並對《政藝通報》第13期進行整本瀏覽可以發現：在「目錄」中，「史學通論四」後面寫有「史學通論五」而無「《序泰西通史》」，但在文本中，「史學通論五」的位置卻被《序泰西通史》佔據，且翻閱整本後並未發現「史學通論五」的存在。此後，翻閱沈雲龍主編《近代中國史料叢刊續輯》第268冊《光緒壬寅（廿八年）政藝叢書（上篇二）》（臺北：文海出版社，1977年）第714～718頁後發現：此書收錄的《史學通論》亦僅「史學通論一」至「史學通論四」四個部分，文後為《序泰西通史》。由此可證，全國報刊索引數據庫所收錄《史學通論》的版本存在印刷錯誤，此文確只有四個部分。

現象者也，非爲陳人塑偶像也，非爲一姓作家譜也。」〔註 7〕並以之爲參照，闡述了對「無史」的兩重看法，首先：

> 中國三千年而無一精神史也。其所有則朝史、君史耳，而非民史。貴族史耳，而非社會史。統而言之，則歷朝之專制政治史耳。若所謂學術史、種族史、教育史、風俗史、技藝史、財業史、外交史，則遍尋乙庫數十萬卷充棟之著作而無一焉也。……民史之爲物，中國未嘗有也。〔註 8〕

指出「無史」的第一層含義：無民史、精神史、社會史、學術史、種族史、教育史、風俗史、技藝史、財業史及外交史。其次：

> 嗚呼！中國無史矣。非無史，無史家也。非無史家，無史識也。〔註 9〕

指出「無史」的第二層含義：無史家、史識。更確切地說，無具備新史識的史家。

有意思的是，當鄧實再次提及「無史」時已是兩年半以後。1905 年 3 月 25 日，他在《國粹學報》第 2 期「社說」欄目發表的《國學微論》中談到：

> 鄧子曰：悲夫！中國之無史也！非無史，無史材也。非無史材，無史志也。非無史志，無史器也。非無史器，無史情也。非無史情，無史名也。非無史名，無史祖也。嗚呼！無史祖、史名、史情、史器、史志、史材，則無史矣。〔註 10〕

指出「無史」的第三層含義：無史材、史志、史器、史情、史名、史祖。

至此，鄧實的「無史」觀才較完整地呈現出來。三者之中，第一層是主幹，尤以無民史爲重，後兩層是枝節，除史家問題之外大都一帶而過。對於民史，他著力甚多，代表性成果是《雞鳴風雨樓民書》、《民史總敘》和《民史分敘》，雖未達成撰寫一部《民史》的志業，但寫成下屬的十二目敘言，仍是當時「繼發孟氏民貴之旨」〔註 11〕的「爲數不多的專門以『民史』爲題，

〔註 7〕鄧實：《史學通論》，《政藝通報》第 12 期，1902 年 8 月 18 日。
〔註 8〕鄧實：《史學通論》，《政藝通報》第 12 期，1902 年 8 月 18 日。
〔註 9〕鄧實：《史學通論》，《政藝通報》第 12 期，1902 年 8 月 18 日。
〔註 10〕鄧實：《國學微論》，《國粹學報》第 2 期，1905 年 3 月 25 日。
〔註 11〕鄧實：《第七年〈政藝通報〉題記》，《政藝通報》第 7 卷第 1 期，1908 年 2 月 16 日。

並擬定了各部分大綱的史家」〔註 12〕。對史志、史器及史祖等，他並未作出任何解釋，僅如此排列起來，不知是何含義，更不知是何邏輯。在他人觀點中，似只有陳黼宸（1859～1917）使用到「史情」一詞。或許，這些是鄧實的新造名詞也未可知。

《史學通論》一出，連同梁啓超等人的「無史」論調一起，立即遭到來自馬敘倫（1885～1970）等人的反對。經上分析，鄧實在 1905 年重提時並未改變「無史」立場，按常理，趁熱打鐵，此時的他應當隨之回擊，爲自己的主張辯護，但事實的發展並非總是理所當然。爲什麼鄧實沒有繼續？如果一開始便沒有打算繼續，爲什麼要寫下這篇文章？近三年後爲什麼又要重提？既然重提，與此前言論的出發點又是否一致？

對鄧實來說，1902 年是一個特殊的年份。26 歲的他進軍報刊業，在上海創辦《政藝通報》，正式涉足變革。而此前一年，與黃節（1873～1935）共立神州國光社，以影印和買賣書畫、字帖及印刻爲主，幾乎不涉政治。對一年的前後轉變，鄧實自述：「是時國家方丁庚子之變，念亡國之無日，懼棟榱之同壓，於是皇然而有《政藝通報》之刊」，設宗旨爲「扶植民權，以排斥專制」，〔註 13〕「普政治思想」〔註 14〕、「藝學，專門發明東西方政治大家、科學大家最新絕精的學理。」〔註 15〕言出必行，至 1905 年，鄧實共發表文章不下二十篇，其中很多因篇幅較長只能分篇連載。1902 年 8 月，在第 12 期增設中篇「政史文編」，遂在政、藝之外，始論史學。〔註 16〕之所以這樣做，應是爲了方便刊登專門的政史議論和介紹國內外的政史情況，《史學通論》正是在此背景下發表。需說明的是，此時期鄧實的興趣似乎主要在政學而非史學，除對一貫堅持的民史有所論述外，基本沒有再發表與史學相關的文章。〔註 17〕所以，是否要繼續談史學，本身就是一個隨機性極大的問題，有則刊，無則不刊，

〔註 12〕吳忠良：《鄧實與「新史學思潮」》，《南都學壇》，2003 年第 2 期。

〔註 13〕鄧實：《第七年〈政藝通報〉題記》，《政藝通報》第 7 卷第 1 期，1908 年 2 月 16 日。

〔註 14〕鄧實：《論政治思想（〈政藝通報〉發行之趣意）》，《政藝通報》第 2 卷第 1 期，1903 年 2 月 12 日。

〔註 15〕王琳：《鄧實文化思想研究》，河北師範大學 2009 年碩士學位論文。

〔註 16〕中篇「政史文編」一欄至遲在 1904 年便不再常設。與史學相關者，如《民史總敘》、《民史分敘》等皆移至上篇「政學文編」中。

〔註 17〕有關鄧實發表的文章，參見范靜靜：《鄧實年譜簡編》，《國文天地》，2017 年 8 月號。

或許是此後很長一段時間內未再提「無史」的最大原因。那麼，《史學通論》作爲新立「政史文編」的開篇，且不說要有振聾發聵、沖決網羅之魄力，但必然要文辭有力、切中時論，梁啓超等人的史學批判無疑爲之提供了絕佳契機。藉此，既能一抒舊史之見，又能一應「無史」熱點，還能一增眾人關注，順帶提高刊物知名度，有此三者，何樂不爲？

後至 1905 年初。鄧實與黃節、章太炎及劉師培（1884～1919）等人成立國學保存會並任總參校，隨後，發行直屬雜誌《國粹學報》並任主編，以保存國粹和發明國學爲宗旨，陸續發表《國學微論》、《國學原論》、《國學通論》及《國學真論》等。其中，再次出現「無史」敘述的文章，與《史學通論》一樣具有開篇意義的是鄧實專論國學的第一篇：《國學微論》。之所以將史學與國學並談，是因他認爲「周秦諸子，爲古今學術一大總歸，而史又爲周秦諸子學術一大總歸」，即「史爲古今天下學術一大總歸」，而且「神州學術，其起原在乎鬼神術數而已。鬼神術數之學，其職掌在乎史官而已」，「夫春秋以前，天下之學歸於鬼神術數。春秋以降，天下之學歸於史官」，〔註 18〕再根據他給國學下的定義「國學者何？一國所有之學」〔註 19〕，可以推知，國學出於史學。但現今中國「無史」，「無史則無學矣，無學何以有國也」〔註 20〕，故而要保國就要先保國學，要保國學就要先保史學，這是鄧實的邏輯，也符合辦報的宗旨。所以，再次提到「無史」時，重心已由史學轉向國學，借史學是想說明國學的衰微及復興國學的重要而非著重論史，這與他在 1905 年前後由力主西化轉向力主國粹是一致的。〔註 21〕

經上分析，如果《史學通論》是鄧實系統批判舊史的宣言，那麼近三年後的《國學微論》已是強弩之末，但並不能因此掩蓋鄧實在 1902 年論爭激烈期的地位。

相較於梁啓超等人，他們共同反對君史，認爲無民史；共同主張無新史家；共同倡議史界革命，如鄧實也提出「中國史界革命風潮不起，則中國永無史矣」〔註 22〕，明顯是在呼應梁啓超。除此之外，還主要有三點不同。

〔註 18〕鄧實：《國學微論》，《國粹學報》第 2 期，1905 年 3 月 25 日。

〔註 19〕鄧實：《國學講習記》，《國粹學報》第 19 期，1906 年 8 月 9 日。

〔註 20〕鄧實：《國學微論》，《國粹學報》第 2 期，1905 年 3 月 25 日。

〔註 21〕參見李佔領：《辛亥革命時期的鄧實及其中西文化觀》，《歷史檔案》，1995 年第 3 期。

〔註 22〕鄧實：《史學通論》，《政藝通報》第 12 期，1902 年 8 月 18 日。

首先，在廣度和力度上，鄧實有所保留：「司馬氏父子而後，中國之史蓋中絕矣。雖然，其先固未嘗無史。自周史佚、辛甲、史籀、史聃、史伯而後無聞人，而史始亡。自魯史克、史邱明而後無聞人而史覆亡。自司馬而後永無聞人，而史眞亡。」〔註 23〕即「無史」具有階段性，以司馬氏爲分水嶺，此前「有史」，此後中絕。對《左傳》、《史記》等書持中間態度，既沒有特別推崇，也沒有全盤否定。梁啓超則不然，視《左傳》爲相斫書，視《史記》等廿四史爲廿四姓家譜，對舊史近乎全部推倒，雖據前述，其部分觀點前後矛盾，但總體上較鄧實激烈的多。其次，在因果邏輯上，鄧實遵循「官存而史存，史存而國存，官亡而史亡，史亡而國亡」〔註 24〕的依存關係，梁啓超則鮮有論到。最後，在發展階段上，鄧實融《春秋》「三世之義」和進化論，提到：「上世一等爲神權時代，史曰『神史』；中世一等爲君權時代，史曰『君史』；近世一等爲民權時代，史曰『民史』」，「十九世紀以前地球皆君史無民史，十九世紀之後地球又將皆民史無君史。」〔註 25〕這一點與前文趙必振的「史有三體」說表述無二，本質亦同，但梁啓超並未提到神史概念，也未對此有過論述。

總體來看，二人風格迥異，一個偏重以西學論史，一個偏重從傳統論史。梁啓超身在日本三年有餘，行文滿目「文明」，中西貫通。而同一時期的鄧實並未出國，所接受的仍是舊學教育。1896年，師從康有爲的同門簡朝亮（1851～1933），後又結識章太炎及劉師培等古文經家，此間種種都爲日後轉向致力國學埋下伏筆。但從小受其父影響，也曾讀過不少西書，後又對紹介西學的刊物多有涉獵，不過終究思想受限，批判舊史多從傳統中來，再回傳統中去，很少借助外力。當然，這只是相對於梁啓超等人而言，若與其他保守派學人相較，可以說是思想超前。

綜上所述，國內「無史」的第一炮由鄧實打響，成爲梁啓超的接力手。在他那裡，「中國無史」或「無史」的使用已成自然，不再如前般少見，反映出此概念被普遍接受。含義上，側重史籍與史家，除細化史學門類外，未出梁啓超所言。範圍上，更傾向於以《史記》爲限而此後史亡，對梁啓超的極端否定有所修正。態度上，不比梁啓超激烈，部分觀點有所保留，尤其著力

〔註 23〕鄧實：《史學通論》，《政藝通報》第12期，1902年8月18日。
〔註 24〕鄧實：《史學通論》，《政藝通報》第12期，1902年8月18日。
〔註 25〕鄧實：《史學通論》，《政藝通報》第12期，1902年8月18日。

於民史，較梁啓超要細緻深入。認識背後，二人皆多受到文明進化觀的影響，梁啓超自不必言，就鄧實來說，除融「三世之義」與進化論之外，還提及「世界之日進文明也」，「既往之文明現象，惟歷史能留之」，「一面發明既往社會政治進化之理，一面以啓導未來人類光華美滿之文明」等等，〔註 26〕雖不如梁啓超深刻，卻也是學人中的佼者。在現有的新史學研究中，鄧實多被置於邊緣，但就此次論爭而言，其位置須移至中心。

第二節　「中國固有史」：馬敘倫的回擊

20 世紀初，「無史」正式登場。時間上，最先作出回應的是支持者鄧實，但隨後不久，反對者便接踵而至，最先且最激烈的當屬馬敘倫。

要說鄧實與馬敘倫的交集，大致就是從論爭時期開始。1902 年 5 月，17 歲的馬敘倫因捲入「食堂事件」〔註 27〕被學校開除。爲家庭生計考慮，沒有選擇繼續求學而步入社會。離開求是書院後，首站去了維新派最爲集中的上海，幫助同學蔣尊簋（1882～1931）之父蔣智由（1865～1929）編輯《選報》。9 月 2 日，加入由趙祖德出資創辦的《新世界學報》，編輯成員多是讀書時的師友，比如同時因「食堂事件」辭職而至此擔任主編的老師陳黼宸（1859～1917）和畢生之交湯爾和（1878～1940）與杜士珍。此時，由鄧實等人創辦的《政藝通報》已運營半年左右，馬敘倫也已到上海數月。從報館位置看，三報都設於四馬路的惠福里內。由此，可推測二人理應對彼此有所瞭解。再據馬敘倫自述：「那時，一位廣東人鄧實先生，獨自辦了一份期刊，叫作《政藝通報》，約我寫文。後來他更有興趣了，又約我和他的同學黃節先生辦了一份期刊，名目是《國粹學報》」〔註 28〕，約文一事，若按馬敘倫在《政藝通報》上所發的第一篇文章《二十世紀之新主義》來算，當在 1903 年 8 月，故二人至遲在這之前便已相熟。1903 年 9 月，鄧實赴開封參加順天鄉試，又「將《政藝通報》託付於馬敘倫」〔註 29〕，可見其關係已日益密切，更可知雖在「無史」問題上觀點各異，但絕非是出自關係不和的惡意攻詰，應是學術上的正常爭論。

〔註 26〕鄧實：《史學通論》，《政藝通報》第 12 期，1902 年 8 月 18 日。
〔註 27〕參見馬敘倫：《我在六十歲以前》，北京：三聯書店，1983 年，第 15～17 頁。
〔註 28〕馬敘倫：《我在六十歲以前》，北京：三聯書店，1983 年，第 21 頁。
〔註 29〕王琳：《鄧實文化思想研究》，河北師範大學 2009 年碩士學位論文。

整體上看，馬敘倫的論史文章較鄧實等人爲多，主要有1902年9月2日發表於《新世界學報》第1期「史學」欄目的《史學總論》〔註30〕、10月31日發表於同刊第5期同欄目的《中國無史辨》〔註31〕、1903年9月6日發表於《政藝通報》第15號「政史文編」欄目的《史界大同說》〔註32〕及1906年8月9日發表於《國粹學報》第7號「史篇」欄目的《史學存微》四文。前三篇居主，後一篇居次。前三篇中，對「無史」的反對意見集中於第一、二篇，尤以第二篇主旨昭著，二文雖僅隔一月，但仍可尋見某些思想變化的眉目。

對「無史」的回擊，主要有如下五個方面。首先，在「國」與「史」的關係上：

> 有世界斯有國，有國斯有事，有事斯有史。中國非國乎？何無史也？……史者，國之代表也。……是故國有亡有滅，而史與天地相久長，與江河日月相終始，窮古亙今，而無亡理。金玉哉，史乎！麟鳳哉，史乎！……黃人其有國乎？黃人其有史乎？自堯、舜以來，歷二千餘年，有唐、虞、夏、商、周、秦、漢、魏、晉、宋、齊、梁、陳、隋、唐、五代、宋、元、明諸朝代之號，而無一定之國名。『震旦』出自梵經，『支那』譯於印度，而我之自稱曰『中國』。〔註33〕

因中國是「國」，故「有史」，並進一步說，「國」亡「史」仍在。唐、虞、夏、商以至於清，是以朝名代國名，實則中國內部不同政權的鼎革，所以歷朝之史皆中國之史。

其次，在「史」的概念界定上：

> 目之所視者，耳之所聞者，口之所頌者，身之所接者，何一非史事？何一非史？何必讀二十四史而後爲史？何必讀古《尚書》、《春秋》而後爲史？……何無史也？〔註34〕

有宇宙即有史。是史者，與宇宙生者也。史之名，立於文明開化之世。史之實，建鼓於宇宙發育之朕。推史之體，大以經緯宇宙，小以綱紀一人一物一事一藝。……飲食起居即史也，第其程度爲單簡而非複雜，然不能謂複雜者

〔註30〕此文在1902年10月2日《新世界學報》第3期「史學」欄目連載。
〔註31〕此文在1902年12月30日《新世界學報》第9期「史學」欄目連載。
〔註32〕此文在1903年9月21日《政藝通報》第16號「政史文編」欄目連載。
〔註33〕馬敘倫：《中國無史辨》，《新世界學報》第5期，1902年10月31日。
〔註34〕馬敘倫：《中國無史辨》，《新世界學報》第5期，1902年10月31日。

爲史而單簡者非史。」「史與人生具。……蓋自有史之名，而後以史爲學矣，而後學史矣。〔註 35〕

因一切皆是「史」，故「有史」。又因中國「自有史之名」後「以史爲學」，故「有史」。很明顯，馬敘倫對「史」的定義包含兩層：過去的一切和對過去一切的記載，即歷史發展與歷史學。對第一層，上述有國即有史的邏輯與之一致。

其三，在傳統史籍的認識上：

> 獨具四德而爲百世所宗仰者，其惟《春秋》，繼之者抑惟司馬子長之《史記》、鄭氏夾漈之《通志》乎？〔註 36〕
>
> 人之言曰：二十四史非史也，二十四姓之家譜而已。於乎，吾將信其言之無誣而不疑乎！吾將集二十行省、四百萬萬同胞而痛哭之，淚乾而血繼之。……吾於是正告我同胞，曰中國固有史。夫《史記》者，固我中國特別之史。……有與《史記》後先相望者何書乎？《通志》也。……吾觀歐洲文化之進步，而知司馬遷、鄭樵之學必顯，而《史記》、《通志》之必伸矣。〔註 37〕

因有《春秋》、《史記》與《通志》等「特別之史」，故「有史」。

其四，在史學分類上：

> 中國之有史，則已離乎飲食起居而爲四部分矣。……曰政治史，曰宗教史，曰教育史，曰學術史。……記禪讓征伐、君臣奏對者，此後世紀錄之濫觴，可謂近於政治史，而不能謂爲完全政治史者也。記朝廷社會之謳歌者，此音樂之專門，而學術史之支流也。記陰陽造化而推人事變遷者，與其謂爲宗教史，則吾寧謂爲學術史，然亦不過學術史中之哲學史一部分耳。……記朝廷郡國鄉里之行政與夫記官制行政者，庶其政治史矣。〔註 38〕
>
> 有政治史而復析爲法律史、理財史，有學術史而復析爲哲學史、科學史。……若是觀史，雖中國之史亦夥矣，而史界始大同。〔註 39〕

創「析史」之法，重整舊史，則「中國之史亦夥」，故「有史」。即不能因沒

〔註 35〕馬敘倫：《史界大同說》，《政藝通報》第 15 號，1903 年 9 月 6 日。
〔註 36〕馬敘倫：《史學總論》，《新世界學報》第 1 期，1902 年 9 月 2 日。
〔註 37〕馬敘倫：《中國無史辨》，《新世界學報》第 5 期，1902 年 10 月 31 日。
〔註 38〕馬敘倫：《史界大同說》，《政藝通報》第 15 號，1903 年 9 月 6 日。
〔註 39〕馬敘倫：《史界大同說》，《政藝通報》第 16 號，1903 年 9 月 21 日。

有如「學術史」、「宗教史」及「哲學史」等名稱就否定中國「有史」的實質。

最後，在對史家的看法上：

我謂司馬氏、鄭氏眞我中國之大史學家也。〔註40〕

自杜佑氏興，政治史界萌芽復出而所可爲《通典》，……及明而黃宗義氏著《宋元學案》、《明儒學案》，實爲中國學術史脫治政史羈絆而獨立之一大作。〔註41〕

司馬氏誠萬世史學之宗哉！〔註42〕

推崇對史學有開創之功的司馬遷、杜佑、鄭樵及黃宗羲等人，故有良史家。另外，馬敘倫本對班固、陳壽及范曄等人持貶斥態度，如：「大率皆馬史舊文，況復經固點綴，便黯然失色，讀史者恨之」，「奚矧陳、范而下，沿故蹈常，又甘爲班固之奴隸，而爲史遷奴隸之奴隸，且詡詡然自以爲史、自以爲著作，抑何其厚顏也」，〔註43〕但日後又言「若班固、陳壽者，亦足以與言良史矣」〔註44〕，可見評論有所變化，或與加入國粹學派深有關係。

上述觀點形成於1902～1903年間。至1906年，馬敘倫並未改變「有史」立場：「古人之書皆史也」，「是故一朝之典故、一代之政俗，而盛衰之由、沿革之數、民族之原、教化之本、人物之繁、食貨之重，莫不於史乎繫之。」〔註45〕雖未明說，卻一目了然。

經上分析，馬敘倫可以說是「有史」的堅定論者，那是否意味著他完全肯定傳統史學？在文章中，馬敘倫多次表露對舊史的不滿：

中國二千年來久以不史名於天下。史學之日衰矣。……史學之失傳久矣。……是故三代以上無史之名而有史之實，三代以下有史之名而亡史之實。……班、范而下，史體全非。表也、志也，名爲經世大學，而實剽襲一代之文牘也。本紀也、列傳也，名爲全部通史，而實一家一氏之譜牒也。史學之不亡也幾何。然其原亦由作史者無公權，以全部大學術、大政體、大教育所繫之史，私之於朝廷，集眾人而成書，宗旨既非，焉有信史？間有名山著述、稗野史乘，

〔註40〕馬敘倫：《史學總論》，《新世界學報》第1期，1902年9月2日。
〔註41〕馬敘倫：《史界大同說》，《政藝通報》第16號，1903年9月21日。
〔註42〕馬敘倫：《史學存微》，《國粹學報》第19期，1906年8月9日。
〔註43〕馬敘倫：《中國無史辨》，《新世界學報》第5期，1902年10月31日。
〔註44〕馬敘倫：《史學存微》，《國粹學報》第19期，1906年8月9日。
〔註45〕馬敘倫：《史學存微》，《國粹學報》第19期，1906年8月9日。

然亦犯當世之大不韙，往往磨滅於荒江世屋，而不見不聞於後世。而所存所行者，皆庸庸無識之著作。……無公權，不足爲史矣。抑我謂史氏無特別之精神，亦必不能具千古特別之史體。〔註 46〕

我嘗謂人曰，自漢以後，史之無色也。〔註 47〕

中國學術之衰，蓋自兩漢以降，每況愈下而不知所終極矣。〔註 48〕

《史記》而下，迄於隋氏之世，中國並欲求一極殘剝之政治史、宗教史、學術史、教育史而不可得。……自《通考》而後，中國能入四部分之史復邈矣。……以中國史學之盛，學史之眾，而史乃衰至此，豈不哀哉？〔註 49〕

首先，就史籍來講，除《史記》之外的正史「實一家一氏之譜牒」，稱不上是信史，除《通考》之外的它史「皆庸庸無識之著作」，稱不上是良史。其次，就史家來講，三代以下，尤其是兩漢以後，無著史公權，「無特別之精神」。此外，進一步闡述了達到「特別之精神」的「四心」內涵：公心，即人有史權，「以保國申民爲宗旨」；理心，即救民苦衷，「推世界之進化、事理之因果」；質心，即正視教育，發揮文化之優長；曲心，即爲達目的，可隱其面貌、微言大義。〔註 50〕

由此，若單憑以上批判，將馬敘倫歸爲「無史」陣營似未嘗不可，但他卻自語：

非敢謂中國無史也，……無史，不知近世酷人士以時文怙恬，史學之不講也久矣。不明普通之史學，安有特別之著作？此非作史者之咎，乃亡史者之咎也。嗟嗟禹域，果何日而見新史哉？〔註 51〕

可見，「馬敘倫的史學批評有一個底線，那就是中國『有史』。在『有史』的前提下，批判舊史學，創造新史學」〔註 52〕。在此前提下，他與梁啓超和鄧實的分歧，便不在於是否接受新史學，而在於如何達成新史學。也就

〔註 46〕馬敘倫：《史學總論》，《新世界學報》第 1 期，1902 年 9 月 2 日。
〔註 47〕馬敘倫：《中國無史辨》，《新世界學報》第 5 期，1902 年 10 月 31 日。
〔註 48〕馬敘倫：《中國無史辨》，《新世界學報》第 9 期，1902 年 12 月 30 日。
〔註 49〕馬敘倫：《史界大同說》，《政藝通報》第 16 號，1903 年 9 月 21 日。
〔註 50〕馬敘倫：《史學總論》，《新世界學報》第 1 期，1902 年 9 月 2 日。
〔註 51〕馬敘倫：《史學總論》，《新世界學報》第 1 期，1902 年 9 月 2 日。
〔註 52〕劉開軍：《晚清史學批評》，上海：上海古籍出版社，2017 年，第 165 頁。

是說，他們不是水火不容的兩派，而是新史學陣營內部在此問題上觀點相異的兩方。

結合梁啓超與鄧實的論述可以發現，他們三人共同認爲「史學日衰」，馬敘倫與鄧實共同認爲《史記》具有史學發展上的分期意義。此外，對無民史，馬敘倫未作專門回應。對無其他史學門類，馬敘倫主張雖無其名卻有其實，提出「析史」之法，拆分傳統史籍中的內容至各類之下，重組新史。對無史學和無史家，馬敘倫一方面說「自有史之名，而後以史爲學矣，而後學史矣」〔註 53〕，即有史學，另一方面依舊以司馬遷、鄭樵及黃宗羲等幾位具有開創性的舊史家爲例證，即有史家，主張不必事事以西方爲準，應保國粹以興國家。他指出：「國粹存則國存，國粹亡則國亡，國粹盛則國盛，國粹衰則國衰」，「所謂新學者，不過崇拜西人，如鄉曲愚婦之信佛說，初未識其精旨也。是西學也，不聞其是昔是今，無不習之。是西書也，不顧其有用無用，無不譯之。然而擇焉不精，語焉不詳，俚語充塞，貽笑通人，詬舊學如寇讎，斥古書爲陳腐」，「中國之學術，何嘗不及泰西」，「我中國人至今日而猶不改其奴習乎？中國至今日而猶不急保其國粹乎？吾甚祝吾國復有司馬遷、鄭樵者繼出也。」〔註 54〕批評西學在引入過程中的弊端，傾向克復舊史中的良史。但這並不意味著要拒斥西學，同梁啓超和鄧實一樣，馬敘倫接受文明進化，所不同的只是吸納程度。如「蓋歷史爲文明之嚆矢也」〔註 55〕，再如「歐美哉，彼誠勿愧其文明哉」〔註 56〕，又如以西學分類法重劃傳統史學等。另外，馬敘倫還從有宇宙即有史、有人即有史和有國即有史等本源層面給予反駁，但此點在本質上並不與梁啓超等人的「無史」構成爭鋒，因他們並未否認客觀發展的存在，用在這裡確有牽強。

總體來看，雖然前後思想有輕微變化，但馬敘倫的「有史」觀是一以貫之的。上述文章發表時，他只有 18 歲——最後一篇《史學存微》成於 21 歲——小梁啓超和鄧實十歲有餘，剛出校園就敢於向公眾人物發起挑戰且論斷有理有據、擲地有聲，可謂是天縱英才，智識絕不在二人之下。與鄧實相似，馬敘倫並未出國，啓蒙教育以四書五經爲主，入新式學堂，因歷史科還沒有

〔註 53〕馬敘倫：《史界大同說》，《政藝通報》第 15 號，1903 年 9 月 6 日。
〔註 54〕馬敘倫：《中國無史辨》，《新世界學報》第 9 期，1902 年 12 月 30 日。
〔註 55〕馬敘倫：《史學總論》，《新世界學報》第 1 期，1902 年 9 月 2 日。
〔註 56〕馬敘倫：《史界大同說》，《政藝通報》第 16 號，1903 年 9 月 21 日。

新式教科書，故讀的是「整部的《御批通鑒輯覽》」〔註 57〕，後得陳黼宸授業，才開始瞭解所處的時代，「懂得須要革命」，「有了民族民權兩種觀念的輪廓」。〔註 58〕對西學的接觸，讀過「孟德斯鳩的《法意》、盧梭《民約論》的譯本，和李提摩太的《泰西新史攬要》一類的書，不知不覺的地非要打倒滿洲政權，建立民主國家不可」〔註 59〕。此外，經常去張家花園聽章太炎、吳稚暉（1865～1953）、蔡元培（1868～1940）、沈步洲（1886～1932）及馬君武的演說，社會革命傾向明顯。但在學術上，卻未跟隨同持革命論的梁啓超及鄧實等人，反而更認同取用國粹。對此，據林輝鋒先生的研究，在馬敘倫治學的第一階段，包括參與論爭時，其「慕爲馬、班、韓、柳之文」〔註 60〕，熱衷史學與古文之學，雖然師從俞樾（1821～1907）的弟子湯頤瑣主治經學，但受教不力，並未得到實質性的學問。〔註 61〕加之西學知識零散瑣碎，對他改造舊史的想法或作用不大，反而借助傳統學問更爲順手，故路向選擇偏重本土倒也在情理之中。

綜上所述，針對以梁啓超和鄧實爲代表的「無史」一方，年紀輕輕的馬敘倫首先回擊，憑藉四篇文章從五個方面作出駁斥，雖是第一次在史學界正式現身，卻無可爭議地成爲「有史」一方的先鋒。含義上，除史學、史籍與史家外，還提到歷史進程。範圍上，正史以《史記》爲分水嶺而此後漸衰，它史以《通志》、《通典》及學案體著作爲良史而其餘平庸。此外，提出著史「四心」，提倡史學公權。與此同時，馬敘倫兼採西學，痛陳舊史弊病，但並未因此否定其全部價值，反而堅持取精去粕，立足傳統革故鼎新。由此，他與「無史」一方的矛盾便不在於是否倡議新史學而在於如何建設新史學，也就是說，他們不是新舊兩派而只是新派中的兩方。在現有的新史學研究中，馬敘倫與鄧實相仿，屬於時常被忽略的人物。在這次論爭中，如果說鄧實的位置須由邊緣移至中心，那對馬敘倫來說更應如此。

〔註 57〕馬敘倫：《我在六十歲以前》，北京：三聯書店，1983 年，第 9 頁。

〔註 58〕馬敘倫：《我在六十歲以前》，北京：三聯書店，1983 年，第 11、17 頁。

〔註 59〕馬敘倫：《我在六十歲以前》，北京：三聯書店，1983 年，第 17 頁。

〔註 60〕林輝鋒：《從史學到文字學——馬敘倫早年學術興趣轉變的內在思路》，《中山大學學報》，2007 年第 5 期。

〔註 61〕參見林輝鋒：《從史學到文字學——馬敘倫早年學術興趣轉變的內在思路》，《中山大學學報》，2007 年第 5 期。

第三節　爭執不絕：其他學人的觀點考察

除前所述，還有很多其他學人陸續參與到論爭中來。之所以在此集中考察，是因爲與梁啓超、鄧實及馬敘倫相比，他們的觀點或有前後轉變，或不具典型性，或僅簡略一提。其中，陳黻宸可視爲觀點轉變者的代表。

1902年9月2日，在馬敘倫發表《史學總論》的同一天，陳黻宸於《新世界學報》第1期發表的《〈新世界學報〉敘例》中首次涉及「無史」，認爲司馬遷之後史學中絕：

> 史遷以後，中國之史絕矣。雖然，此非作史者之罪也。〔註62〕

對後半句所言，馬敘倫也表露過同樣認識：「此非作史者之咎，乃亡史者之咎也。」〔註63〕緊接不久，1902年9月16日，在《新史學》「論書法」一節連載的同一天，陳黻宸於上刊第2期「史學」欄目發表《獨史》，對史學發展作出系統論述並明確談到「無史」：

> 中國之無史亦宜哉！……自明帝首爲此詔，而後世無私撰之國史。……中國之無史，我固不能爲明帝恕矣。……我於當時之史無望矣。……吾觀於南北朝之時，而益不能歎息痛恨於中國之無史也。……我念至此，未嘗不喟然歎息而起曰：於乎，我中國之無史久矣！……夫史學之無傳久矣，知史學者蓋難言矣。……是蓋中國無史家之獨權故。〔註64〕

指出「無史」的兩層含義：無「私撰之國史」和無獨立之史權。具體地看，前者以漢明帝爲分界，因「以班固爲蘭臺令史」，詔撰國史，「史有監修」，自此以後「變本加厲，名實兩歧，直筆之司，奚事監爲？以監爲名，罪同桎梏」，〔註65〕即正史撰寫自班固始「收歸國有」，官方修史漸成主流。後者以春秋戰國爲分界，「古者史權特重，司過之職，載於傳記甚詳矣。夫執簡侍坐，豈徒書之而已」，如董狐、南史之輩，「必有諫諍之言，糾繩之事，君舉或誤，理無緘默」，〔註66〕即史權自王朝一統後不再獨立，漸成君權附庸，司馬遷著《史記》也不例外。結合文章標題，陳黻宸在此著重論述的是

〔註62〕陳黼宸：《〈新世界學報〉序例》，《新世界學報》第1期，1902年9月2日。
〔註63〕馬敘倫：《史學總論》，《新世界學報》第1期，1902年9月2日。
〔註64〕陳德溥編：《陳黼宸集》，北京：中華書局，1995年，第564～568頁。
〔註65〕陳德溥編：《陳黼宸集》，北京：中華書局，1995年，第565～566頁。
〔註66〕陳德溥編：《陳黼宸集》，北京：中華書局，1995年，第564頁。

史權問題，即不管是無「私撰之國史」還是其他舊史之弊，都可視爲史權衰落的表徵。

但在兩年後，1904 年 10 月 23 日，陳黻宸在《政藝通報》第 17 期發表的《讀史總論》中對此前看法作出修正：

> 余每讀《史記》八書與《通志》二十略，反覆沉思，得其概略，未嘗不歎今之談史學者輒謂中國無史之言之過當也。〔註 67〕

可見，陳黻宸是對「輒謂中國無史」的「今之談史學者」作出評判，而且文內也未再出現「無史」二字，這就意味著他自己業已開始反思所言「無史」的適宜性，態度向「有史」一方傾斜。

值得注意，發生轉變的出發點不是否定之前的無史權，而是立足於史學與科學的關係。站在這一角度，陳黻宸提出「史學者，乃合一切科學而自爲一科者」，「無史學則一切科學不能成，無一切科學則史學亦不能立」，「史學必合政治學、法律學、輿地學、兵政學、農工商學而後成」，「又必合教育學、心理學、倫理、物理學、社會學而後備」，「而欲興科學，必自首重史學始」，回歸已有學術，則「司馬氏，鄭氏，蓋亦深於科學者」，〔註 68〕由此，他針對的應當是「無史」論中的無法律史、技藝史、財業史及教育史等史學門類，認爲「我國固非無學也，然乃古古相承，遷流失實，一切但存形式，人鮮折衷，故有學而往往不能成科」〔註 69〕，即有學之實而無學之名，與前面提到馬敘倫的「析史」之法頗有異曲同工之妙。此外，還認爲應當跨學科治史，流露出史學科學化的想法，與梁啓超在《新史學》中主張取地理學、宗教學、倫理學、心理學、物理學及化學等學科之「公理公例，而參伍鉤距」〔註 70〕的意見相合。

經上分析，與梁啓超、鄧實及馬敘倫相比，首先，陳黻宸著重從史權層面表達「無史」，而另一方的馬敘倫並不反對：「作史者無公權，以全部大學術、大政體、大教育所繫之史，私之於朝廷」〔註 71〕，後來的鄧實也有論述：「史之權於通國爲獨重，而史之識亦於通國爲獨高」〔註 72〕。難能可貴的是，

〔註 67〕陳黼宸：《讀史總論》，《政藝通報》第 17 期，1904 年 10 月 23 日。
〔註 68〕馬敘倫：《史學總論》，《新世界學報》第 1 期，1902 年 9 月 2 日。
〔註 69〕陳黼宸：《讀史總論》，《政藝通報》第 17 期，1904 年 10 月 23 日。
〔註 70〕梁啓超：《中國歷史研究法》，北京：中華書局，2011 年，第 186 頁。
〔註 71〕馬敘倫：《史學總論》，《新世界學報》第 1 期，1902 年 9 月 2 日。
〔註 72〕鄧實：《國學微論》，《國粹學報》第 2 期，1905 年 3 月 25 日。

在批判之餘，陳黻宸就如何解決給出三條建議。第一，「國之大事，則議而決之，且書而垂之。忤上意者，勿得罪」，第二，「各史館卿大夫之進退，視乎民」，第三，仿照萬國公法會，成立「公史會」，「與公法會相維持相終始，質之萬世而不易其說。」〔註 73〕如果前兩條屬於新瓶裝舊酒，那麼第三條確爲中國史學新發明，可視爲日後史學會的最初構想。其次，推許司馬遷、鄭樵、司馬光及袁樞等史家，創新史書體裁，以一人之力成千古之作，而它史則「齗齗於本紀列傳一字之辯、九鼎尊嚴，鴻溝劃界，聚訟萬世，幾成史戰」〔註 74〕，價值甚微。據前所言，司馬遷著史帶有史權不足的色彩，但陳黻宸更傾向將之歸爲「亡史者之咎」，即君權加強所致，而非「作史者之罪」，故二者並不衝突。對此，鄧實和馬敘倫並無異議。其三，至於批判最烈的民史，陳黻宸持論與他們相同。民史是「今泰西史學所以獨絕於一球者也」，「我三代之史不可見矣」，「自秦以後，而民義衰」，「故雖以太史公、鄭夾漈之史識」，「徒付蓋闕。往往宗旨所存，僅於言外得之」，「且我中國之史之有關於社會者甚少矣」，〔註 75〕即無民史。其四，陳黻宸提出「史情」一詞並給予解釋：「情者吾人所萬不得已於天下之故者也。夫人之智識材力，無不自感情中來」，「史者乃以廣我之見聞而迫出其無限之感情者也」，「非感情之獨厚者，又不足與言史矣。」〔註 76〕由此，既指歷史情懷，又指「瞭解之同情」〔註 77〕，隨後鄧實在《國學微論》中所用的「史情」概念估計與之相同。最後，在「史」的定義上，與馬敘倫一樣，都涉及歷史進程和歷史學兩個層面，如「無天地則已，有天地即有史；天地間無一物則已，有物即有史」；再如「我嘗謂史之爲體，不始於文字結繩以前，即謂之無書契之史可也」；〔註 78〕又如「余尤以爲自結繩而有文字，可謂史學之進步，而不可謂史之軔始」〔註 79〕。但不同的是，陳黻宸並未以此爲論據反駁「無史」或因此而主張「有史」，可以說在認識上較馬敘倫更理性。

總體來看，論爭的中心人物中，陳黻宸屬於上一代學人，是馬敘倫的老師，

〔註 73〕陳德溥編：《陳黼宸集》，北京：中華書局，1995 年，第 568 頁。
〔註 74〕馬敘倫：《史學總論》，《新世界學報》第 1 期，1902 年 9 月 2 日。
〔註 75〕陳德溥編：《陳黼宸集》，北京：中華書局，1995 年，第 562～563、680 頁。
〔註 76〕陳德溥編：《陳黼宸集》，北京：中華書局，1995 年，第 685～686 頁。
〔註 77〕陳寅恪：《金明館叢稿二編》，北京：三聯書店，2001 年，第 280 頁。
〔註 78〕陳德溥編：《陳黼宸集》，北京：中華書局，1995 年，第 568～569 頁。
〔註 79〕陳德溥編：《陳黼宸集》，北京：中華書局，1995 年，第 675 頁。

也算梁啓超等人的師輩，但在思想上並不僵化保守，既支持維新變革，也注重中西比較。批判舊史的同時，重提「史德」，新創「史情」和「史質」〔註 80〕，提出史學「四獨」，以「獨識」爲前提，以「獨例」爲目的，以「獨力」和「獨權」爲兩翼，旨在革新舊史，爲史學發展尋找新出路。

梁啓超和鄧實之後，除陳黻宸之外，直到 1908 年，「無史」論說才算基本終結。

1902 年 10 月 16 日，《政藝通報》第 17 期刊登以「樵隱」爲名的《論中國亟宜編輯民史以開民智》，顧名思義，認爲有君史而無民史，應借民史以開民智：

> 三代以降，有君史無民史，有君書無民書。〔註 81〕

且抬高司馬遷、班固，貶低其後史籍是「史公筆奴，是官書胥史，是坊肆手民」〔註 82〕。

10 月 31 日，《新民叢報》第 19 號轉載了原發於新加坡《天南新報》的《私史》，此文作者不明，著重論述了有私史而無公史：

> 以是爲史耶？公耶？私耶？亦適足埋沒數十輩之精神，而閉塞數千年之聞見而已，則甚矣中國之無公史也。……趨承奔走，將全史而供奉之於帝王，其所以埋沒英雄，污辱國民實甚。吾故曰中國無公史也。如有之，惟史遷乎？……是一家之史，非全國之史也；是一時之史，非萬世之史也；王公之紀年史，非世界之權衡史也。以是爲史，謂之無史可也。〔註 83〕

「私史」與「公史」的含義大體等同於「君史」與「民史」。對此，鄧實在《史學通論》中粗略提過：「霸者私天下於一家者也，而並私其史於一家。私其史於一家之朝廷，則朝廷尊。」〔註 84〕此外，作者推崇司馬遷，注重史權，主張史學獨立。

〔註 80〕指歷史的根本特性和質樸風格，參見李洪岩：《論陳介石的史學思想》，《史學理論研究》，1992 年第 4 期。

〔註 81〕樵隱（擬稿）：《論中國亟宜編輯民史以開民智》，《政藝通報》第 17 期，1902 年 10 月 16 日。

〔註 82〕樵隱（擬稿）：《論中國亟宜編輯民史以開民智》，《政藝通報》第 17 期，1902 年 10 月 16 日。

〔註 83〕佚名：《私史》，《新民叢報》第 19 號，1902 年 10 月 31 日。

〔註 84〕鄧實：《史學通論》，《政藝通報》第 12 期，1902 年 8 月 18 日。

1903年1月29日，劉成禺在《湖北學生界》第1期發表的《歷史廣義內篇》中從種族革命的視角重審舊史，對秦漢以後的正史作出批判：

> 閱二十四朝之歷史，不禁爲吾人種啜啜而悲也。……歷史家感於正統君臣之義，勝朝鼎革之書，事一姓者謂之順，不屈伏者謂之逆，筆削妄加，污穢滿紙。哀哉！秦漢以後之歷史，眞可謂世界上空前絕後一部大奴隸史也。……幾爲一朝廷一姓所有之記錄矣。紀傳也，表志也，知有朝廷而不知有國家，知有君主而不知有民族。〔註85〕

借用梁啓超的史學四弊說，暗含無民史、無民族史之意，將史學發展與國家命途緊密聯結，若「史界不移運」，便會「淹葬於民族帝國主義世界之風潮中」。〔註86〕

2月，黃炎培（1878～1965）、張志鶴（1879～1963）及邵力子（1882～1967）等人以「支那少年」爲名，在《支那四千年開化史》的弁言中打出無民史旗號：

> 恫哉！我國無史。恫哉！我國無史。龐然塞於棟者，非二十四史乎？我謂二十四姓之家乘而已。興滅成敗之跡，聒聒千萬言不能盡，乃於文化之進退、民氣之閉塞、實業之衰旺，概乎弗之道也。〔註87〕

針對二十四正史，主張應向日本看齊，取文明進化之義，「刪其蕪，補其缺，正其誤」〔註88〕。

5月，曾鯤化（1882～1925）以「翼天氏」爲名、以「國史氏」自稱，在《中國歷史》的序言中認爲無民史：

> 沉沉二千載，黯黯廿四朝，……中國有歷史乎？何配譚（談）有中國歷史乎？余一人朕天子之世系譜，車載斗量；而中國歷代社會文明史，歸無何有之鄉。飛將軍、大元帥之相斫書，汗牛充棟；而中國歷代國民進步史，在烏有子之數。〔註89〕

要改變現狀，應「以國民精神爲經，以社會狀態爲緯，以關係最緊切之事實爲系統」，「革舊貫而造新體，尋生存競爭優勝劣敗之妙理，究枉尺直尋小退大進之眞相」。〔註90〕

〔註85〕劉成禺：《歷史廣義內篇》，《湖北學生界》第1期，1903年1月29日。
〔註86〕劉成禺：《歷史廣義內篇》，《湖北學生界》第1期，1903年1月29日。
〔註87〕支那少年編譯：《支那四千年開化史（弁言）》，上海：廣智書局，1903年。
〔註88〕支那少年編譯：《支那四千年開化史（弁言）》，上海：廣智書局，1903年。
〔註89〕蔣大椿主編：《史學探淵》，長春：吉林教育出版社，1991年，第596頁。
〔註90〕蔣大椿主編：《史學探淵》，長春：吉林教育出版社，1991年，第596～597頁。

同月，鄒容在《革命軍》中痛批國人奴性並以此爲由否定舊史：

> 中國人無歷史，中國之所謂二十四朝之史，實一部大奴隸史也。……或謂秦漢以前有國民，秦漢以後無國民。〔註91〕

即主要體現在無國民史。讚美民主革命，呼籲推翻滿清統治，從思想上革除奴隸根性，還國民以獨立公權。

10 月，羅大維在爲浮田和民著《史學通論》中譯本所作的序言中抨擊「有史」，指出雖浩博賅貫，但都是不及「社會之全體」的君史：

> 而支那方無史，或曰：惡，是何言也？以支那立國易姓二十有四，其間爲悲劇、爲慘劇、爲喜劇、爲樂劇者不知凡幾，無姓無事，無事無紀，方長吾人之目線，竭吾人之腦力，不足以償其代價，何得云無？曰此而曰史，吾言誠謬矣。……支那史非不浩博，非不賅貫，第皆爲一家一人之事而已，初無及於社會之全體者也。此而謂之爲一人小傳也可，謂之爲一家族譜也可。〔註92〕

即有君史而無民史，欲借日本譯書爲中國史學書寫提供借鑒。

1904 年 7 月 8 日，《覺民》第 8 期刊登以「重光」爲名的《人種史》，在言及無民史之外，提出無種族史：

> 強者有歷史，弱者無歷史；貴族有歷史，平民無歷史，……廿四史、《資治通鑑》、《漢書》等，……可稱之爲朝史，不可稱爲國史；但可名之爲朕天子履歷，不可稱爲種族史。〔註93〕

種族史，主要特徵之一是民族主義。以司馬遷《史記》爲界限，前有《春秋》、《左傳》可爲代表，但「自班孟堅以下無識焉」，「直至明季，有王船山之《黃書》與《讀通鑒論》，皆大有種族觀念」，〔註94〕種族史方有所復興。很明顯，作者之意是借史排滿，推動種族革命，與劉成禺之論無二。

8 月 2 日，劉師培以「無畏」爲名在《警鐘日報》第 159 號發表《新史篇》，此文同時是爲好友陳去病（1874～1933）著《清秘史》所作的序言，示意無民史和無信史：

> 中國之所謂歷史者，大約記一家一姓之事耳。……若參以野史

〔註91〕鄒容：《革命軍》，北京：華夏出版社，2002 年，第 48～49 頁。

〔註92〕鄔國義編校：《史學通論四種合刊》，上海：華東師範大學出版社，2007 年，第 227 頁。

〔註93〕重光：《人種史》，《覺民》第 8 期，1904 年 7 月 8 日。

〔註94〕重光：《人種史》，《覺民》第 8 期，1904 年 7 月 8 日。

之現聞，則信史之成，必有計日可待者。〔註95〕

還論述了君權與史權的關係，從「互爲消長」到「相埒相平」到「摧抑史權」到「阿諛君權」再到「史權全湮」，〔註96〕最終淪爲君權附庸。對此，陳黼宸在兩年前的《獨史》中有過詳細評判，二人的最大不同在於史權衰亡的分期。陳黼宸以漢宣帝——漢明帝——南北朝爲轉折，劉師培則以三代——秦漢——魏晉——隋唐——宋明爲轉折。

1905年7月22日，許之衡（1877～1935）在《國粹學報》第6號發表的《讀〈國粹學報〉感言》中提及有朝史而無國史：

斷代者，徒爲君主易姓之符號，是朝史而非國史也。謂爲二十四朝之家譜，又豈過歟？故今後之作史，必不當斷代，而不嫌斷世（如上古、中古、近古之類），藉以考民族變遷之跡焉。〔註97〕

推崇司馬遷，提倡通史。此外，主張保存國學，倡導民族主義。

7月27日，《東方雜誌》第2卷第6期轉載了原發於《時報》的《論中國史乘之多誣》，此文作者不明，認可無民史，重點闡述無信史：

處今之世，而尚論當世之民族，則必以其歷史之有無爲斷。……則猶有一病，爲前人之所未言者。其病惟何？曰：不實。蓋專制之國家，不獨使其廷無諍臣、野無直民，亦將使其國無信史。……蒙蔽之習之深，而歷史可以廢。……至使社會無公是非，無眞毀譽。……是則民族之存亡，以歷史之有無爲斷。而中國之歷史，果尚得謂之有焉否也？〔註98〕

在作者看來，「不實」似前人未言，但實際上，早在康有爲、崔述時，甚至再遠溯至春秋時代，對史書記載的眞實性就已有質疑。就近來說，剛提到過的劉師培也已對無信史作出表述，或可能「無信史」三字連用最早見於此文。

1906年7月16日，在《〈新世界小說社報〉發刊詞》中談及無民史：

中國數千年來，有君史無民史，其關係於此種小說，可作民史讀也。〔註99〕

意在以小說補民史之闕。

〔註95〕劉師培：《新史篇》，《警鐘日報》第159號，1904年8月2日。
〔註96〕劉師培：《新史篇》，《警鐘日報》第159號，1904年8月2日。
〔註97〕許之衡：《讀〈國粹學報〉感言》，《國粹學報》第6期，1905年7月22日。
〔註98〕佚名：《論中國史乘之多誣》，《東方雜誌》第2年第6期，1905年7月27日。
〔註99〕佚名：《新世界小說社報發刊辭》，《新世界小說社報》第1期，1906年7月16日。

最後，1908 年 7 月，黃世仲在《洪秀全演義》的自序中批判君史〔註 100〕：

> 余常謂中國無史，……後儒矯揉，只能爲媚上之文章，而不得爲史筆之傳記也。……只一朝君主之家譜耳。〔註 101〕

除論及無民史外，宣揚民族主義，當「爲種族爭、爲國民死」〔註 102〕。

由此可見，「無史」多以無民史呼聲爲高，旁及無種族史、無信史和無國史等，涵蓋史籍與史學，側重二十四正史，有意識地抬高司馬遷的地位，承認史權衰微，將史學與民族革命和國家獨立相結合，政治色彩鮮明。與之相應，「有史」一方也未停止辯護。

前面提到，徐仁鑄在《輶軒今語》中反對君史並言無風俗史。兩個月後，即遭到保守派葉德輝的回擊：

> 歷代正史，亦何嘗不紀民間風俗之事？……西人有君主，有民主，君有君之史，民有民之史，中國自堯舜禪讓以來，已成家天下之局，亦以地大物博，奸宄叢生，以君主之，猶且治日少亂日多，以民主之，則政出多門，割據紛起，傷哉斯民。〔註 103〕

中國歷代正史中也涉及民間風俗史，比如「史公傳遊俠、貨殖，《漢書》亦傳貨殖，范書傳逸民、方伎，《晉書》傳隱逸，《魏書》志釋、老」〔註 104〕等，以此論「無史」則是無稽之談。

論爭正式開始後，1902 年 10 月 16 日，杜士珍在《新世界學報》第 4 期發表的《班史正謬》中以推舉《春秋》與《史記》爲「千古不朽之宏著」來論證「有史」：

> 中國歷史之學，自昔大盛，三代以上無徵已。孔子《春秋》，旨存三世，極東西大哲學家、大政治家不能望其肩背。即降而至漢，中遭秦禍，學術可謂大衰矣。然太史公《史記》，羅列數千年之掌故，貫注以一家之精神，挺然爲千古不朽之宏著，中國何嘗無史？然末流無術，蹈襲故常。魏晉以來之史，有每況愈下之勢者。雖由後世

〔註 100〕有關此文時間，黃世仲在文末記爲「黃帝紀元四千六百零六年季夏」。經推算，應當成文在 1908 年或 1909 年。參見王俊年：《關於〈洪秀全演義〉》，《文學遺產》，1983 年第 3 期；紀德君、龍志強：《黃世仲〈洪秀全演義〉版本與傳播情況考論》，《廣州大學學報》，2008 年第 1 期。

〔註 101〕黃世仲：《洪秀全演義（自序）》，北京：人民文學出版社，1984 年，第 3 頁。

〔註 102〕黃世仲：《洪秀全演義（自序）》，北京：人民文學出版社，1984 年，第 3 頁。

〔註 103〕胡如虹編：《蘇輿集》，長沙：湖南人民出版社，2008 年，第 93 頁。

〔註 104〕胡如虹編：《蘇輿集》，長沙：湖南人民出版社，2008 年，第 93 頁。

> 史氏之無識，實班固《漢書》有以作之俑耳。〔註105〕

同時，批判《漢書》爲史學漸衰之俑，爲「亡史之禍」的開端，且「劉漢以後」，「吾民已死」，「無一人爲天下任患難，而具獨立之性質者也」。〔註106〕他與馬敘倫少年相識，同爲陳黼宸弟子，隨後在《大共和日報》創辦時任經理而馬敘倫任總主筆，〔註107〕史學認識相近。

1902年11月30日，陳懷（1877～1922）在《新世界學報》第7期發表的《方志》中將方志視作「純乎民史者」〔註108〕，推舉《周官》爲典範來暗示「有史」：

> 夫民於史亦微矣，我中國之史於民史亦略矣。雖然，史者，民之史也。……方志者，純乎其爲民史者也。其在於古，則得之《周官》之書。……若方志，則猶公之於天下萬世之民者也，是故世界之史，吾於方志有望焉。〔註109〕

希望借方志之興重揚古之民史。一個月後，12月30日，在同刊第9期發表的《學術思想史之評論》中將司馬遷視爲史界大才，且認爲雖無學術思想史之名卻有其實：

> 我中國之學術，於史籍爲附庸，錄之亦不盡詳，大都散見於諸學人之列傳及藝文、經籍諸志，而無特別之學術思想史。即有其書如宋元明之學案及國朝漢學師承記等，俱不以史部目之。〔註110〕

與馬敘倫和杜士珍等人不同的是，陳懷沒有明言「有史」，且對舊史的批判力度不亞於「無史」一方：

> 然自秦漢以來，而史幾爲一家所私有，而民於史無影響矣。……今之爲方志者，……其文詳於言沿革，而略於徵風化。其體善於事鋪張，而絀於資激發。……況於塗附車載，藉科舉爲聲華，博引繁稱，作點名之官簿，蕪穢不治，徒污筆簡，此亦儼然一方志哉！……我國通人之修方志者，徵文考獻，侈求典雅，一丘之貉，異軌同奔。〔註111〕

以秦漢爲界，此後則變公史爲私史、變民史爲君史。換個角度說，即便處處

〔註105〕杜士珍：《班史正謬》，《新世界學報》第4期，1902年10月16日。
〔註106〕杜士珍：《班史正謬》，《新世界學報》第4期，1902年10月16日。
〔註107〕參見馬敘倫：《我在六十歲以前》，北京：三聯書店，1983年。
〔註108〕陳懷：《方志》，《新世界學報》第7期，1902年11月30日。
〔註109〕陳懷：《方志》，《新世界學報》第7期，1902年11月30日。
〔註110〕陳懷：《學術思想史之評論》，《新世界學報》第9期，1902年12月30日。
〔註111〕陳懷：《方志》，《新世界學報》第7期，1902年11月30日。

彌漫著對秦漢以來史學的不滿，卻也沒有明言「無史」，且憑藉對方志的執念和對三代時期史學的推崇，對新史的出現充滿希望，將之歸於「有史」一方似也合適。

1903 年 12 月 20 日，盛俊（1884～1960）在《新民叢報》第 42～43 號合本發表的《中國普通歷史大家鄭樵傳》中借《通志》比附新史學門類（見下表）以反對「無史」：

> 甚者且謂『二十四史非史也，家譜而已』，斯言也，吾恥之，吾憤之。……今鄭樵歷史，凡一切種族上之生存、文學上之生存、天文地理上之生存、宗教風俗物產上之生存，以迄政治上之人物上對於外界上之生存，燦然羅列，普通之號，常乎否乎？〔註 112〕

《通志》所有	新史學所有
氏族略	種族史
六書、七音略	文字史
天文、災祥略	天文史
地理、都邑略	地理史
禮略	宗教史、野史（風俗史）
謚略	無
器服略	美術史
樂、藝文、校讎、圖譜、金石略	文學史
職官、選舉、刑法略	憲法史
食貨略	財政史
昆蟲草木略	物產史
本紀、世家、列傳、載記	人物史
四夷傳	外交史

此處「普通歷史」的概念，即包括風俗史、宗教史、美術史、天文史、人物史及物產史等在內且隸屬於新史學的「敘述一國民、一社會生存」〔註 113〕

〔註 112〕盛俊：《中國普通歷史大家鄭樵傳》，《新民叢報》第 42～43 號合本，1903 年 12 月 20 日。盛俊簡介參見劉開軍：《晚清史學批評》，上海：上海古籍出版社，2017 年，第 165 頁。

〔註 113〕盛俊：《中國普通歷史大家鄭樵傳》，《新民叢報》第 42～43 號合本，1903 年 12 月 20 日。

之歷史，而這些門類在《通志》中皆有對應。此外，盛俊也直陳舊史弊病：

> 中國學術上師承幾千年者，惟有政治史。……《尚書》之後，《春秋》尚矣。秦漢以來，《史記》允稱國史。班固末學，私心標異，而司馬氏之門戶失，而中國之歷史乃亡。……皆詳於朝廷略於社會者也。……中國者，有官史而無私史之人國也。……中國之徒有一姓史，亦勢使然也。……吾中國數千年無一物產史，……一曰知有史學而不知史學之範圍、動物學、植物學也。……一曰知有朝廷歷史而不知有社會歷史也。〔註114〕

崇《史記》而抑《漢書》，有官史、朝廷史而無私史、社會史，「於是鄭樵起」〔註115〕，頗有將之視作舊史中最具新史學色彩集大成者的味道，故其完全可成爲「有史」典型。而且，他還特別指出爭論產生的原因：「以讀君權史者讀神權時代史，則謂誕。以讀民權史者讀君權時代史，則謂陋。故讀史必以判別時代爲第一要義」〔註116〕，即沒有歷史地看待不同時期的史學，這一點確是擊中要害。

1906年2、3月間，嚴復在《政治講義》中對《砭愚》裏的舊史批評作出部分修正，觀點趨向緩和，明顯向「有史」一方靠攏：

> 是故歷史者，不獨政治人事有之，但爲內籀學術，莫不有史。吾國或謂之『考』。……《三通》之屬，至於一切之掌故，蓋皆爲史。……有科學即有歷史，亦有歷史即有科學，此西國政治所以成專科。問中國古有此乎？曰有之。如老子，如史遷，其最著者。……人或笑左氏爲相斫之書，或謂中國之史，不過數帝王之家譜，此其說似矣。然使知歷史專爲政治之學而有作，將見前人之所詳略，故〔固〕爲適宜。且中國既爲專制矣，則一家之所爲，自繫一民之休戚，古人之所爲，殊未可以輕訾也。〔註117〕

〔註114〕盛俊：《中國普通歷史大家鄭樵傳》，《新民叢報》第42～43號合本，1903年12月20日。

〔註115〕盛俊：《中國普通歷史大家鄭樵傳》，《新民叢報》第42～43號合本，1903年12月20日。

〔註116〕盛俊：《中國普通歷史大家鄭樵傳》，《新民叢報》第42～43號合本，1903年12月20日。

〔註117〕王栻主編：《嚴復集》第五冊，北京：中華書局，1986年，第1244～1245、第1249頁。

通過分析政治與歷史的關係，認爲政治學自古發達、不必媚外，應重視政治史的價値，而中國政治的特點又多以一家之所爲繫一民之休戚，故君史也無可厚非。顯然，對君史的態度已發生轉變，對梁啓超的「家譜」說也不再如前般支持。

1907年6月8日，章太炎在《民報》第14號發表的《答鐵錚》中大談舊史優勢，激烈反對將史學譏諷爲「鄰家生貓」、「譜牒」及「視爲芻狗」等說法：

> 不知禹域以内，爲鄰家乎？抑爲我寢食坐作之地乎？人物制度、地理風俗之類，爲生貓乎？抑爲飲食衣服之必需者乎？或又謂中國舊史，無過譜牒之流。……然一代制度行於通國，切於民生，豈私家所專有？……中國歷史，自帝紀、年表而外，猶有書志、列傳，所記事蹟、議論、文學之屬，粲然可觀。〔註118〕

自孔子至今的史學成就蔚爲大觀，抑西抬中，歐洲諸史更應被稱作「譜牒」、「檔案」。

1908年6月，潘守廉在《四川教育官報》第6冊發表的《河南長葛縣令潘守廉上孔學司稟》中捍衛舊史，反駁「無史」：

> 我神州大陸，開化最先。古聖先賢之經傳，諸子百家之著述，文明燦爛數千餘年，誠歷史之光榮也。少年後進，瞀其新奇，頓妄本旨。《詩》、《書》未嘗舉業，動輒疑謗古人。《史》、《漢》不曾寓目，乃言『中國無史』。此其舊學無根底，無怪其然。〔註119〕

昌言傳統以固邦本，但也「以期歐化、國粹，相輔爲用」〔註120〕，主張深識之士應當「憂舊學之將喪失也」〔註121〕，發展新史學絕不能盡棄舊學，要從傳統中尋出路。

7月23日，《東方雜誌》第5年第6期刊登以「蛤笑」爲名的《史學芻論》，認爲「無史」論調「粤國之甚」不可取：

〔註118〕章太炎：《答鐵錚》，《民報》第14號，1907年6月8日。

〔註119〕潘守廉：《河南長葛縣令潘守廉上孔學司稟》，《四川教育官報》第6冊，1908年6月。

〔註120〕潘守廉：《河南長葛縣令潘守廉上孔學司稟》，《四川教育官報》第6冊，1908年6月。

〔註121〕潘守廉：《河南長葛縣令潘守廉上孔學司稟》，《四川教育官報》第6冊，1908年6月。

> 今之學者，其一般持論，皆謂吾國紀傳、編年、紀事三體，皆有集合主義而無分析主義，可以為二十四朝君主之譜牒，不可以為二千餘年民族之紀載。又其甚者，且謂吾國自古迄今尚未有史學。嗚呼！何其粤國之甚也耶！〔註122〕

但他並不因此而避諱舊史的不合時宜：「居今日而言史學，則以上所舉三大派別（典制之學、議論之學、考證之學）〔註123〕，皆成已陳之芻狗而不必復措意焉。所最急者，在以新學之眼光，觀察已往之事實耳」〔註124〕，即當今要務在以新眼光重視過去，發展新史學。

最後，1910年3月10日，章太炎、陶成章與錢玄同在《〈教育今語雜誌〉章程》〔註125〕中以保存國粹、振興學藝為宗旨，對史學給予高度評價：

> 各體具備，歐洲諸國所萬不能及也。近世誇夫，拾日人之餘唾，以家譜、相斫書詆舊史，誠不值一噱者。……期邦人諸友，發思古之幽情，勉為炎黃之肖子焉。〔註126〕

這一態度延續了章太炎在《答鐵錚》中的看法，不以它國論吾國，為傳統史學正名，期冀諸學人共同致力於炎黃之學的蕃昌。

由此可見，「有史」一方主要從兩點進行回擊：一是對「無史」一詞的極端提法表示否定；二是以《春秋》、《史記》、《周官》及《通志》各書為據，反駁無民史或無新史各門類。其中一部分人對舊史批評激烈，如陳懷、杜士珍及盛俊等人，另一部分人則無條件地維護舊史，如章太炎和潘守廉等人。涵蓋史籍與史學，希望提取傳統精粹，立足舊史發展新史。

綜上所述，兩方論爭約至1910年前後方漸銷聲，以1905年為界，前期激烈而後期緩和，前期「無史」為上風而後期「有史」佔優勢。相比於中心人物，論爭範圍擴展，在史學、史籍與史家之外又添史權，從君史和民史到私史與公史、種族史、信史及國史等，從《史記》到《尚書》、《春秋》、《通志》及《周官》等。參與者身份多樣，雖論述程度不一，但都參與其中，故

〔註122〕蛤笑：《史學芻論》，《東方雜誌》第5年第6期，1908年7月23日。

〔註123〕括號內文字為筆者備註。

〔註124〕蛤笑：《史學芻論》，《東方雜誌》第5年第6期，1908年7月23日。

〔註125〕《章程》的擬定可能出自錢玄同之手。參見姚奠中、董國炎：《章太炎學術年譜》，太原：山西古籍出版社，1996年。

〔註126〕章太炎、陶成章、錢玄同：《教育今語雜誌章程》，《教育今語雜誌》第1期，1910年3月10日。載《辛亥革命時期期刊彙編》編纂委員會編：《辛亥革命時期期刊彙編》第2冊，北京：首都師範大學出版社，2011年。

很難列舉完全，只得按時間和觀點加以篩選。除此之外，兩方絕非壁壘森嚴，也皆非鐵板一塊，觀點互有交織，既有始終如一的堅定者，也有中途轉變觀點者，若細細分析或會發現不少自相矛盾的地方，突顯出「過渡時代」學人思想的複雜糾纏。可以說，若沒有這些「星星之火」，論爭則難以「燎原」。

第三章　誰是論爭的勝利者

「無史」一方挑起，「有史」一方回擊，各不相讓，以致史學界的大多數學人都被席卷進來。歷經十年時間，以 1905 年爲中點，前者前期勢大，後者後期奮起，前後局面反轉。「空言」之餘，戰線擴展，雙方開始編撰新史。受此影響，論爭之外的許多學人也被拉入其中，就成果而言，倒有幾許喧賓奪土之感。進程推進，雙方言盡其意，難以再有新見，問題也開始逐層暴露，漸至完結。在清季亡「朝」和救「國」的特定語境下，「無史」和「有史」作爲兩組話語與政治相合，不免落入現實與學術的相抗博弈，也不免陷進域外與國內的取捨兩難。西方中心還是回歸本土，另立爲先還是改造爲主，雙方雖各持一見，但都在本質上與傳統派相離，同歸於新史學的共建。

第一節　爭論到實踐：中國史的編撰

論爭中，不論是史家批判還是觀念批判，兩方的共同載體都是歷代史著。既然絕大部分學人不滿足於舊史，那麼撰寫新史應是當務之急，也應是反擊對方的最佳利器。

1901 年左右，論爭正式開始之前，章太炎《中國通史略例》和梁啓超《中國史敘論》就如何書寫新史發表意見，最大不同在於是否以西方或日本所著中國史爲模板。章太炎持否定態度，但不排斥借鏡域外，如「今日治史，不專賴域中典籍」，「西方作史，多分時代。中國惟書志爲貴，分析事類，不以時代封畫。二者亦互爲經緯也」。〔註 1〕分表、典、記、考紀及別錄五部分，

〔註 1〕章太炎：《訄書》，瀋陽：遼寧人民出版社，1994 年，第 277～279 頁。

除錄幾位傑出君臣外，設種族、工藝、宗教、學術、革命及會黨等類，補民史、種族史及良史家之闕，可以說是舊史體裁的打亂重組。論爭時期，章太炎始終處於「有史」一方，1907年前後對舊史維護日進，大有「依自不依他」〔註2〕的決絕，是對此時期中國史編撰構想的糾偏，更是對史學革命極端一面的反思。梁啓超則近乎完全肯定，受浮田和民等人影響，盡棄舊史體例，分界說、範圍、命名、地勢、人種、有史以前及時代區分八節，頗有幾分「比著葫蘆畫瓢」的味道。另外，凸顯漢族的重要性，如「我輩現時遍佈於國中，所謂文明之冑，黃帝之子孫」，「所謂亞細亞之文明者，皆我種人自播之而自獲之者也」〔註3〕。對於新史，二人僅有初步架構，簡略寬泛，後也未能寫成一部完整中國史著，雖甚可惜，導引之功卻不可沒。

此後，「無史」一方的黃炎培、張志鶴及邵力子等人於1903年著成《支那四千年開化史》，曾鯤化於同年著成《中國歷史》，劉師培於1905至1906年著成《中國歷史教科書》兩冊，化言論爲實踐，爲新體中國史代言。

就前者而言，主要受市村瓚次郎（1864～1947）和瀧川龜太郎（1865～1946）合著《支那史》影響，「去吾二十四姓家乘所備載之事實，而取其關於文明之進步者，斷自上古，以逮於茲」〔註4〕。採用章節體，前設歷代大事年表，分地理、人種、太古、三代、秦漢三國、兩晉南北朝、隋唐、宋元及明清九章，自第三章起始分制度、學術、風俗、宗教、技藝及產業等節。以漢族爲主體，兼及苗、滿洲、蒙古及回回等族，認爲漢族「實爲開創支那者。後世雖時有盛衰，然歷代帝王，大抵由此人種而出，故於支那內地，大有勢力。以今日論，實比他人種爲最進文化，且富於智識也」〔註5〕。整體上看，的確無涉君史而側重文明進化史，與弁言所論一致。

就中者而言，主要受那珂通世（1851～1908）《支那通史》和市村瓚次郎《支那史要》影響。採用章節體，主人種西來，分太古紀、上古紀、中古紀、近古紀、近世紀、前世紀和現世紀七期，分別對應堯舜以前、夏至戰國末、秦至唐末、五代至北宋末、南宋至元亡、明及滿洲至第二次鴉片戰爭七章。以漢族爲中心，分發生、創國、與外族勢力對比、與外族衝突、東西方交涉、

〔註2〕章太炎：《答鐵錚》，《民報》第14號，1907年6月8日。
〔註3〕梁啓超：《中國歷史研究法》，北京：中華書局，第167頁。
〔註4〕支那少年：《支那四千年開化史（弁言）》，上海：廣智書局，1903年。
〔註5〕支那少年：《支那四千年開化史》，上海：廣智書局，1903年，第6頁。

復盛及衰微七段。〔註6〕有關序言《中國歷史出世辭》中的設想，更偏重種族，「尋生存競爭優勝劣敗之妙理」，於「歷代社會文明史」、「歷代同體休養生息活動進化之歷史」所涉不多。〔註7〕

就後者而言，「於徵引中國典籍外，復參考西籍，兼及宗教、社會之書，庶人群進化之理」〔註8〕。敘述範圍自上古至西周，並非通史。採用課時體，持漢族西來說，如「漢族本居西方，及生齒日繁，乃以東方為殖民之地，由西徂東，與異族雜處」，「然大抵中國之疆域，與西方合一，以西方為祖國，以中國為殖民地」，「太古之前，中西合為一國，彰彰明矣」，「中國之字，出於巴比倫楔文」。〔註9〕朝代興亡之外，單列古代之交通、與異族之關係、學術、風俗、倫理、宗教、文字、禮制、官制、田制、兵制、刑法、學校、商業、工藝、宮室、衣服及飲食等標題。奉漢族為正統，貶低滿、苗等族。對於史權問題，通過分析三代時期的史官制度，劉師培認為「古代史官，為一切學術所從生」，至周代「史握學權」，史權興盛，但最大的缺陷是「卿士有學，庶民無學」。〔註10〕後隨君權益強，史官被逐漸分權，史權日減，以致淪為君權奴隸，再難獨立。與此前《新史篇》中的舊史批判相比，對君史模式有所突破，增加了民史比重，認為三代以前，民眾是社會主體，君主是順應發展產生而非神意天授。需特別說明的是，書中部分內容之前已陸續載於《國粹學報》，奠定了著書的思想基礎，如《論古學出於史官》、《周末學術史序》、《國學發微》、《論古代人民以尚武立國》及《古政原始論》等。之所以此時成書，主要原因有二：其一，《警鐘日報》被查封後，劉師培避難出逃，1905年9月前後，經陳獨秀（1879～1942）推薦，任安徽公學及皖江中學堂的歷史與倫理學教員；其二，此時在上海的國學保存會開辦國學講習會，由劉師培擔任正講師。〔註11〕故《中國歷史教科書》既為補中學堂歷史教科書之缺，又可供講習會講義之用，一舉兩得。

〔註6〕參見劉超：《貌合神離：近代中國新史學與日本史學——以清末中國歷史教科書為中心》，《史林》，2014年第5期；劉超：《民族主義與中國歷史書寫——清末民國時期中學中國歷史教科書研究》，復旦大學2005年博士學位論文。

〔註7〕蔣大椿主編：《史學探淵》，長春：吉林教育出版社，1991年，第596～597頁。

〔註8〕劉師培：《儀徵劉申叔遺書》第14冊，蘇州：廣陵書社，2014年，第6304頁。

〔註9〕劉師培：《儀徵劉申叔遺書》第14冊，蘇州：廣陵書社，2014年，第6321～6323、6362頁。

〔註10〕劉師培：《儀徵劉申叔遺書》第14冊，蘇州：廣陵書社，2014年，第6360、6482頁。

〔註11〕參見陳奇：《劉師培年譜長編》，貴陽：貴州人民出版社，2007年。

經上分析，「無史」一方的中國史編撰多以日本書籍爲參照，其中黃炎培等人和曾鯤化的兩部著作以編譯爲主，劉師培的著作以撰述爲主，尤其突出大漢族主義，藉此煽動排滿革命，對風俗、技藝及學術等門類亦著力甚多，但對與君臣相對的民眾卻基本無專題論述，或者說都將此融進了對漢族整體及風俗和技藝等方面的敘述中。相比之下，「有史」一方的實踐寥寥無幾，較有代表性的是陳黻宸的《京師大學堂中國史講義》和《中國通史》。

《京師大學堂中國史講義》成於1904年，除錄《讀史總論》外，設政治之原理、社會之原理、孔子及墨子等八個部分。正據前述，《讀史總論》是陳黻宸從「無史」向「有史」轉變的關鍵文章，出發點不是否定之前的無史權，而是立足史學和科學的關係重審舊史後的新見。整體上看，除前三部分較有價值之外，後五部分基本與舊史無異，並如數納入到後者的撰寫之中。《中國通史》成於1913年，既未採用章節體，也未延續紀傳體，僅以標目隔斷。秦前著重論述五帝、三代和孔子、墨子、荀子及孟子四家，秦後一朝一個部分，仍以皇位更迭爲主線，輔之學術，鮮敘民眾、風俗、技藝及域外等，似舊史的節略本。持論中平，並未突顯漢族重心。值得注意的是，《中國通史》開篇不久有言：「我中國之無史久矣。上下古今，曠然獨往，文獻繫之，來者誰徵，我於此不能無餘慨焉。」〔註12〕結合語境可知，這仍是針對無史權所發，與轉變到「有史」的觀點並不衝突，同時證明之前所論無誤。二書之前，陳黻宸在《獨史》中提到新史設想。分八表、十錄和十二傳，具體說明每條內容並指出：「十錄、十二列傳，皆先詳中國，而以鄰國附之，與八表並行，蓋庶乎亙古今統內外而無愧於史界中一作者言矣。」〔註13〕但據此後的兩次編撰來看，可以說是南轅北轍，大都未能踐行，反倒不如在前期發表的《獨史》、《讀史總論》及《地史原理》等文章中落實得多。

總體上說，陳黻宸不完全屬於「有史」一方的代表，畢竟前後轉變不同因，在史權問題上也並沒有改變舊見，仍據此爲「無史」之由。但又不可否認，1904年以後，他的確開始反思之前的舊史批判，言語和文字皆日趨和緩，態度明顯向「有史」傾斜，將此時期的上述二書作爲「有史」一方的中國史編撰倒也未嘗不可。至於力主「有史」的馬敘倫、杜士珍及盛俊等人，之所以未著書，或是本無意，或是因認爲本就「有史」而不值得重做，抑或是對

〔註12〕陳德溥編：《陳黼宸集》，北京：中華書局，1995年，第715頁。
〔註13〕陳德溥編：《陳黼宸集》，北京：中華書局，1995年，第574頁。

已出書籍較為滿意，總之沒有成果面世。那麼，在已出著作中，影響最大的應是夏曾佑（1865～1924）於 1904 至 1909 年間著成的三冊《最新中學中國歷史教科書》。

是書採用章節體，分上古、中古和近古三篇，立傳疑、化成、極盛、中衰、復盛、退化和更化七章，對應太古三代、春秋戰國、秦漢、魏晉南北朝、隋唐、五代宋元明和清朝七段。對漢族西來持存疑態度，如「至吾族之所從來，尤無定論」，「古巴比倫人與歐洲之文化相去近，而與吾族之文化相去遠，恐非同種也」。〔註 14〕除朝代更替外，列世界之初、人種、神話、地理、風俗、宗教、文學、官制、社會變遷及域外等節。有關敘中所指的舊史不足：「況史本王官，載筆所及，例止王室，而街談巷語之所造，屬之稗官，正史缺焉」〔註 15〕，多有完善修正。後來，嚴復評價此書是千古以來的曠世之作，〔註 16〕梁啓超也頌其「對中國歷史有嶄新的見解——尤其是古代史，尤其是有史以前」〔註 17〕。二人的稱讚源於彼此間的賞識。1891 年前後，梁啓超與夏曾佑相識並交往日深，稱之為「晚清思想界革命的先驅」，「是少年做學問最有力的一位導師」。〔註 18〕1896 年，夏曾佑結識嚴復、譚嗣同等人，在天津一同創辦《國聞報》並任主編，而嚴復的譯著《原富》和《天演論》等，也是多與夏曾佑「反覆商榷而後成書」〔註 19〕，關係非同一般。但論爭起後，似未見夏曾佑參與其中。就此書而論，他推許文明進化史觀，反對「載筆所及，例止王室」的君史，提倡「街談巷語之所造」的民史，極大推進了新史的普及。

除此之外，還有幾本著作可視為論爭的見證。嚴格來說，雖然作者皆非此中人，但卻是時代潮流和個人選擇間的衝撞在取捨舊史和嘗試新史上的映像。

首先，陳慶年（1863～1929）於 1903 年著成《中國歷史教科書》。以桑原騭藏《中等東洋史》為底本，敘述範圍自上古至明朝，採用篇章體，分上古、中古和近古三段，列周以前、周、秦及西漢初葉、西漢經略外國和西漢

〔註 14〕夏曾佑：《中國古代史》，石家莊：河北教育出版社，2002 年，第 10 頁。
〔註 15〕夏曾佑：《中國古代史（敘）》，石家莊：河北教育出版社，2002 年，第 3 頁。
〔註 16〕魏松巍：《夏曾佑與〈最新中學中國歷史教科書〉》，《歷史教學》，1997 年第 3 期。
〔註 17〕張品興主編：《梁啓超全集》第 18 卷，北京：北京出版社，1999 年，第 5206 頁。
〔註 18〕張品興主編：《梁啓超全集》第 18 卷，北京：北京出版社，1999 年，第 5206 頁。
〔註 19〕羅長榮：《夏曾佑〈中國古代史〉對當前初中歷史教學的啓迪》，內蒙古師範大學 2013 年碩士學位論文。

末世等十七篇，凸出中外比較下的民族意識。對序中提到的治史之弊：「夫幼童而守一藝，白首而後能言，此漢志言治經之弊也。而自來治史之弊，固類於是。爲此學者以是之故，往往其業不就」，認爲應「其文不繁，其事不散，其意不隘」，〔註20〕並在書中有一定貫徹。1908年，被官方審定爲指定教科書後，刪改高達幾百處，民族意識大大淡化，重回正統史觀下的王朝史定式。〔註21〕這違背了陳慶年的寫作初衷，卻又絕非己力所能抗爭。要論此書之成，並不像上述諸書一樣是個人行爲，而是張之洞領導下以陳慶年爲首的一班幕僚的集體籌劃，由此便爲日後收歸官方埋下伏筆。此書之後，陳慶年赴湖南監事圖書館，專於教學和治學，未再就史學發表更多意見，或是受到教科書事件的影響也未可知。

其次，丁保書（1866～1936）於同年著成《蒙學中國歷史教科書》。蒙學，即小學及小學以前。採用篇章體，分古代、秦漢三國、晉及南北朝、隋唐、五代及宋、元明和明季至清七篇，除政治變遷外，注意介紹風俗、美術、宗教、交通、學術、工藝及中日關係等。編輯大意中，丁寶書沿用梁啓超的「歷史」定義：「歷史者，敘過去進化之現象，爲未來進化之引線，非僅紀三千年之事實而已」，將宗旨定爲「以進文化、改良社會」，「以衛種族、張國威」，〔註22〕彰顯漢族優越，講求國家平等，試與白種人一爭高下。初版後，在上海、北京和漢口等地同時發行，三年間再版近二十次，很受歡迎。是書最有特色的是插圖和年表。〔註23〕圖片多達49幅，爲其他歷史類教科書所不能及，這可能是蒙學書的特別待遇，也因丁保書精通書畫，在文明書局任美術編輯兼小學教員，爲多本書配過插圖，此事於他較爲順手。年表是中西曆法對照的《中國歷史大事年表》，不再局限於中國，側重世界史眼光。有鑑於此，有學者認爲此書「才是中國人採用章節體編寫的第一部中國通史」〔註24〕。

最後，汪榮寶（1878～1933）於1909年著成《中國歷史教科書》，又名《本朝史講義》，只述清一朝，顯示近世史研究的必要。採用編章體，分開創、

〔註20〕陳慶年：《中國歷史教科書（序）》，上海：商務印書館，1911年。

〔註21〕參見黃東蘭：《「吾國無史」乎？——從支那史、東洋史到中國史》，載孫江、劉建輝主編：《亞洲概念史研究》第一輯，北京：三聯書店，2013年。

〔註22〕丁保書：《蒙學中國歷史教科書（編輯大意）》，上海：文明書局，1903年。

〔註23〕參見馬執斌：《丁寶書及其〈蒙學中國歷史教科書〉》，《江南大學學報》，2014年第4期。

〔註24〕馬執斌：《丁寶書及其〈蒙學中國歷史教科書〉》，《江南大學學報》，2014年第4期。

全盛及憂患三編，仍以政治軍事史爲主。緒論中，稱讚中國文明悠久、著述宏富，如「中國之建邦遠在五千年以前，有世界最長之歷史，又其文化爲古來東洋諸國之冠」，「書契以來，至於今日，歷史之著述，自官定史鑒及私家志乘，汗牛充棟，畢世不能舉其業」，同時指出紀傳和編年等體例的利弊，總體而言，「可以爲史料，不可以爲歷史」，主張「歷史之要義，在於鉤稽人類之陳跡，以發見其進化之次第。務令收尾相貫，因果畢呈」。〔註25〕七年前，汪榮寶於《譯書彙編》第 9、10 期發表《史學概論》〔註26〕，以坪井九馬三《史學研究法》爲底本，復參浮田和民和久米邦武等人的著述，對「史學」作出界定：「研究社會之分子之動作之發展之科學也」，相比於「撮錄自國數千年之故實」之舊史，新史要向科學靠攏，「尋其統系而冀以發揮其眞相」。〔註27〕七年之隔，《中國歷史教科書》的寫成可以說是汪榮寶史學思想的實踐。20 世紀初的諸學人中，既有史學概論性質的文章，又有中國史類的著作，汪榮寶應是爲數不多的史家之一。

這一時期，還有柳詒徵《歷代史略》、普通學書室《普通新歷史》、王舟瑤《京師大學堂中國史講義》、姚祖義《最新高等小學中國歷史教科書》、呂瑞庭和趙澂璧《新體中國歷史》及徐念慈《中國歷史講義》等，多改自漢譯日著教科書，採用章節體或其他新體例，以漢族爲核心，側重政治變化，旁及風俗變遷，開始具備世界視角，注意中外比較。整體來看，與上述諸書只有細節之別，沒有本質差異。

綜上所述，從章太炎、梁啓超及陳黻宸等人的新史設想到曾鯤化、黃炎培、劉師培及陳慶年等人的史著編撰，論爭始在實踐層面鋪開。除陳黻宸在正文中提到一句之外，其餘的部分著作多在前言處述及「無史」或「有史」，且雙方都未在文內夾雜此類議論以針鋒相對，仍是中規中矩地遵循時間順序或新立專題模式著史。形式上多參照漢譯域外史籍，採用篇章體或章節體。內容上亦多取材於此，但已有取捨，敘改朝換代之餘，兼涉種族、學術、宗教及

〔註25〕汪榮寶：《中國歷史教科書（緒論）》，上海：商務印書館，1909 年。

〔註26〕對於此文的發表時間，查全國報刊索引數據庫中所錄《譯書彙編》第 2 卷第 9 期，時間標爲「光緒壬寅九月」，即 1902 年 10 月 2 日至 30 日間的某天。又見右上角標日本紀年爲「明治三十四年一月二十八日」，即 1901 年 1 月 28 日。再查王學典主編《20 世紀中國史學編年》（北京：商務印書館，2014 年），時間標爲 1902 年 12 月 10 日，即光緒二十八年（壬寅）十一月十一日。可見，三者時間並不統一，此處取「光緒壬寅九月」一條，即 1902 年 10 月。

〔註27〕汪榮寶：《史學概論》，《譯書彙編》，1902 年 10 月。

社會風俗等，特別注重漢族文明，強調分期、進化和因果，具有強烈的民族主義傾向和致用指向。以上兩點，尤以「無史」一方體現顯著，而「有史」一方因著作幾無，若以陳黻宸和非論爭中人來看，則有的既不採章節體，也不採編年或紀傳等舊史體例，直接以標目隔斷，有的仍僅局限於政權鼎革和帝王更替，於文教風俗無涉，很像舊史的縮略本，但總體上此類著作所佔比例不大，大部分還是與上述特徵相符。另外，無論哪一方，對論爭中重點爭論的民史問題都未有專書，在已出著作中也鮮有專論，可見議論與實踐的巨大偏差。總之，他們共同打開了新史編撰的新局面，雖然「有史」一方的成果略顯不足，但論爭外其他學人的著述倒可算作格外補闕。

第二節　同歸而殊途：新史學的共建

從爭論到實踐，這場論爭將活躍在史界的大多數學人席卷其中。前述可見，各方內部觀點有差，雙方彼此並非絕緣，可總括爲三點。

第一，就「無史」一方來說，首先，代表以梁啓超爲主，鄧實和陳黻宸（前期）爲輔，另有趙必振、馬君武、樵隱、劉成禺、曾鯤化、黃炎培、鄒容、羅大維、重光、劉師培、許之衡及黃世仲等人。其次，觀點以無民史爲主，另有無史家、無史學、無精神史、無社會史、無學術史、無教育史、無風俗史、無技藝史、無財業史、無外交史、無史材、無史志、無史器、無史情、無史名、無史祖、無國史、無史權、無公史、無種族史、無民族史及無信史等，概而言之，不出史家、史著與史學研究三大類。最後，內部矛盾表現有二。一是「無史」之名是否合適，異議者是趙必振，雖心存質疑但未否定「無史」之實。二是「無史」階段如何劃分，簡言之，鄧實以西漢司馬遷爲界，陳黻宸以春秋戰國、西漢司馬遷及東漢班固分別爲界，樵隱以三代爲界，鄒容以秦漢爲界，重光以西漢司馬遷和明末王夫之等分別爲界，他人或分段不明，或一概而論。此點異見雖大，但都不能細究，否則會像前述梁啓超一樣出現很多自相矛盾之處以致無法分析。

第二，就「有史」一方來說，首先，代表以馬敘倫爲主，杜士珍和盛俊爲輔，另有陳懷、陳黻宸（後期）、嚴復（後期）、章太炎、潘守廉及蛤笑等人。其次，主要從三個層面回擊「無史」一方。一是否定「無史」之名和「無史」之實。二是以《尚書》、《周官》、孔子《春秋》、司馬遷《史記》、鄭樵《通志》、杜佑《通典》、馬端臨《通考》、黃宗羲《宋元學案》與《明儒學案》等證明有史家、史著和史學。三是從有宇宙等於有史、有人等於有史和有國等於有史的客觀歷史進程角度證明「有史」。最後，內部矛盾集中表現在「有史」涵蓋面的廣度，簡言之，杜士珍重《春秋》和《史記》，陳懷重《周官》，盛俊重《通志》，陳黻宸重《史記》和《通志》，嚴復重《三通》和《史記》，他人或側重不明，或一概而論。同上，此點也很難細究到底，只能略舉一二關鍵。

第三，就兩方較量來說，首先，觀點相合處主要體現在部分學人部分地承認舊史價值，如「無史」一方的梁啓超、鄧實、陳黻宸（前期）、樵隱、鄒容及重光等人都不同程度地抬高《春秋》、《史記》及《通志》等，與「有史」一方一致。所不同的是，「有史」一方是藉此反駁而非認同「無史」，有幾分「以子之矛，攻子之盾」的意味。其次，觀點相離處主要體現在是否因與域外史學不同和因弊端存在就言「無史」，顯然，兩方正持兩面。最後，不論哪一方，都有全盤否定或全盤肯定舊史者，但「無史」陣營中似對舊史的否定遠多於肯定，而「有史」陣營中有時也會有這種情況，不過大都以「有史」爲前提。由此，如果「有史」是「有史」一方批判舊史的底線，那麼「無史」可以說是「無史」一方無底線批判舊史的極端反映。

經上分析，爲什麼兩方會共同推許以《史記》和《通志》爲代表的某些舊史？且依前述，諸如有宇宙即有史、有人即有史和有國即有史的觀念在本質上並不能與「無史」一方形成對話，爲什麼馬敘倫等人會以此爲據？

第一個問題，既由史著的自身優勢所決定，又與論爭的最終指向相關聯。舊史作爲無法抹殺的實體，批判或尊崇都必須以之爲憑藉，是兩方無法迴避的客觀存在。三代史籍、《史記》八書、《通志》二十略及各類《學案》等，在傳統史學中既具有開新地位，又的確富含新史所需的風俗史、社會史、典制史及學術史等資源，同樣是兩方無法忽視的價值所在。「無史」一方要在史家、史著和史學研究上求新，絕非憑空臆想，借助外史重審舊史，不管是見識革新，還是民史訴求，亦或是體例突破，上述史著無疑是舊史精華，難以對之視而不見且見而不論。但「無史」一方的中心參照是西方和日本史學，他們想要做的不是在傳統基礎上的修修補補，而是在徹底打碎舊史後仿照外史的全新建構，比如要用章節體、要寫文學史或宗教史及要體現進化或規律等。換句話說，他們想要達成的是在形式和方法上與外史高度相似的新史學。

如此一來，「無史」一方評判舊史的標準便由本土轉向域外，域外因素大於本土因素，也即如果沒有外緣，「無史」一說或許不會出現，「有史」自然無從提起。與此同時，他們又是傳統中人，啓蒙教育與舊史密切相通，很多難以割離的成見早已內化於既有思想中，對傳統「放不下」的糾結感便是最好的註腳。所以，既要用「無史」一詞批判舊史以達到建立全新史學的目的，又不能將上述史著與其他史著混爲一談而隱去舊史的合理價值，這一矛盾便不可避免地被「有史」一方抓爲把柄，也令「無史」一方成爲自身提法的掘墓人。那麼，作爲反對者的「有史」一方，拔高上述史著似乎不足爲奇。需注意的是，他們並沒有將全部舊史作爲爭辯籌碼，且對上述史著的闡析是在力圖證明雖無民史等名目卻有其實質，不必全盤推倒而只需加以整合便可與外史媲美。正如前述，馬敘倫等人並不排斥外史中的文明與進化等觀念，也部分地同意按照外史門類重組舊史。如此一來，「有史」一方評判舊史的標準是以本土爲主而以域外爲輔，本土因素大於域外因素。與此一致，同是傳統中人，「有史」一方更多的表現在對新事物「拿不起」。因此，兩方共同推許某些史著，一方是要另起新爐灶，一方則是要改造舊爐灶，途徑雖不同，但最終都指向新史建設。

第二個問題，取決於時人的史學觀念。近代以前，多用「史」這一單字表示史官、史書、史事或史學等含義，雖在後二者中已隱約含有客觀歷史進程的意味，但並未作出明確區分。近代以來，「歷史」一詞使用日增，隨之出現的還有與現代史學相關的一系列新名詞，於是，界定「歷史」和「歷史學」等概念成爲傳統史學轉型的需要。至遲在1919年，李泰棻（1896～1972）「已較明確地區分了客觀存在的歷史與研究客觀歷史的歷史學」，此後，繆鳳林（1899～1959）和李大釗（1889～1927）等人「對歷史和歷史學概念作出現代意義的解釋」，「爲超越重記載的傳統史學，走向重解釋的現代史學做了理論上的準備」。〔註28〕

論爭發生時，正處上述概念運用的混亂期，兩方論斷都不可避免且不自覺地陷入其中。首先，「無史」一方的文章中使用「史」、「歷史」、「史學」和「歷史學」四個詞匯代表史學研究。對客觀歷史進程，梁啓超略有提及，採用的是「歷史」一詞：「以地理位置定空間之位置，以紀年定時間之位置，

〔註28〕劉俐娜：《由傳統走向現代——論中國史學的轉型》，北京：社會科學文獻出版社，2006年，第119、128頁。

二者皆爲歷史上最重要之事物」,「時代與時代，相續者也，歷史者無間斷者也。」〔註 29〕嚴格來講，此指代並不明確，只能說有那麼幾許意蘊。對此，除梁啓超外的學人鮮有論及。其次，「有史」一方的文章中在使用上述四者之餘，還以「歷史之學」一詞代表史學研究。對客觀歷史進程，馬敘倫多有敘述，採用的是「史」字：「史與天地相久長，與江河日月相終始，窮古亙今，而無亡理」〔註 30〕,「有宇宙即有史。是史者，與宇宙生者也。」〔註 31〕其意十分明顯。此外，「歷史之學」中的「歷史」二字，也不免帶有幾分表示客觀歷史進程的意蘊。對此，除馬敘倫外的學人鮮有論及。兩方之外，轉變者陳黻宸的觀點不容忽略：「無天地則已，有天地即有史；天地間無一物則已，有物即有史」,「余尤以爲自結繩而有文字，可謂史學之進步，而不可謂史之軔始。」〔註 32〕可見，同樣是採用「史」字作爲對客觀歷史進程的概括。最後，據前所析，「無史」和「有史」中的「史」字還涵蓋「史家」、「史書」、「史識」、「史志」、　「史器」、「史名」、「史祖」及「社會史」等具體史學門類的多重含義。

經上分析，單從指代客觀歷史進程層面，「有史」一方的歷史認識要高於「無史」一方。另外，在「史」字多義的前提下，雙方要想作出有效爭論就必得首先明瞭對方所指，然而這並非易事，一旦出現一語雙關或多關的情況，往往造成誤讀或不得解。而且，受制於認識水平，時人也許並不具備現代史學中的思想邏輯，時常將上述諸義纏結一團，將分屬不同層次的問題視爲一層或進行錯誤勾連，以致驢唇不對馬嘴，令人不明就裏。由此，馬敘倫等人的癥結即在後者。當然，也不能排除有意爲之的可能。需留心的是，「有國即有史」的提法在含有客觀歷史進程一義的同時，還顯露出強烈的「國」「史」綰合感。

論爭中，馬敘倫曾言：「中國非國乎？何無史也。」〔註 33〕以中國是「國」而因此「有史」來回擊「無史」。除此之外，幾未再有學人從這一角度給出明確駁斥。「無史」一方，除梁啓超提到「知有朝廷而不知有國家」〔註 34〕外，

〔註 29〕梁啓超：《中國歷史研究法》，北京：中華書局，第 168、173 頁。
〔註 30〕馬敘倫：《中國無史辨》,《新世界學報》第 5 期，1902 年 10 月 31 日。
〔註 31〕馬敘倫：《史界大同說》,《政藝通報》第 15 號，1903 年 9 月 6 日。
〔註 32〕陳德溥編：《陳黻宸集》，北京：中華書局，1995 年，第 568、675 頁。
〔註 33〕馬敘倫：《中國無史辨》,《新世界學報》第 5 期，1902 年 10 月 31 日。
〔註 34〕梁啓超：《中國歷史研究法》，北京：中華書局，2011 年，第 177 頁。

也很少有學人將此作爲「無史」的明確依據。但所提文章中很少明確出現並不代表二者沒有關聯。19世紀下半葉起，內憂外患，「亡國」危機隨處可見，「救國」之聲不絕於耳，「無國」之歎被「晚清人士常常掛在嘴邊」，「感憤大抵可以分爲兩種」，一是「從種族主義的觀點出發而得到無國的結論」，二是「從現代國家的角度發出的，認爲中國歷史上只有『朝廷』，沒有『國家』」，〔註35〕前面簡略提到的《二十世紀之中國》、《原國》和《亡國》等文章便是其中一例。由此，馬敘倫或是受此影響而發。結合當時語境，他要重點論述的是「國」亡「史」仍在，說明「史」的獨立性，進一步暗示即便清亡但仍有「史」。很明顯，與「無史」一方並不形成對等的對話。同期，與「國家」意識一齊被著重強調的還有「國民」、「種族」和「民族」等概念。古代中國，華夷之分貫穿千年，如果將「國家」與「國民」看作是新生事物的話，那麼「種族」和「民族」可以說是被近代化了的華夷之分，主要特徵即與「國家」意識合體。

重回論爭，首先，「無史」一方談到無國史、無種族史和無民族史，後二者側重漢族身份，但前者意義模糊，如梁啓超認爲：「有君史，有國史，有民史」，「若《通典》、《通志》、《文獻通考》、《唐會要》、《兩漢會要》諸書，於國史爲近，而條理猶有所未盡」，〔註36〕「國史之繁密而可紀者，皆在孔子以後。」〔註37〕再如王國維提出：「歷史有二：有國史，有世界史。國史者，述關係於一國之事實。」〔註38〕又如鄧實說道：「古者天子諸侯必有國史。」〔註39〕還如樵隱述到：「一時動物學、植物學、製造業、專門商業無不放大光明，照徧大地，與朝史、國史分道揚鑣，益助愛力」，「以補列朝國史所未備。」〔註40〕另如陳黻宸（前期）論到：「後世無私撰之國史。」〔註41〕後如重光指出：「廿四史、《資治通鑒》、《漢書》等，皆呶呶於太祖、太宗之豐功偉績與及享年之久暫，故但可稱之爲朝史，不可稱爲國史。」〔註42〕眾說紛紜，難下定義，

〔註35〕王汎森：《近代中國的史家與史學》，上海：復旦大學出版社，2010年，第5～6頁。

〔註36〕梁啓超：《續譯〈列國歲計政要〉敘》，《時務報》第33冊，1897年7月20日。

〔註37〕梁啓超：《中國歷史研究法》，北京：中華書局，2011年，第211頁。

〔註38〕謝維揚、房鑫亮主編：《王國維全集》第十四卷，杭州：浙江教育出版社、廣州：廣東教育出版社，2009年，第2頁。

〔註39〕鄧實：《史學通論》，《政藝通報》第12期，1902年8月18日。

〔註40〕樵隱（擬稿）：《論中國亟宜編輯民史以開民智》，《政藝通報》第17期，1902年10月16日。

〔註41〕陳德溥編：《陳黼宸集》，北京：中華書局，1995年，第565頁。

〔註42〕重光：《人種史》，《覺民》第8期，1904年7月8日。

原因或是「國史」並非新概念，舊時便已存在，兼有史官和一朝之史兩義，像鄧實、陳黻宸和樵隱所言即指舊義。伴隨近代國家觀的形成，「國」由傳統之一朝變爲現代之一國，「國史」也由朝史變爲與世界史相對應的中國史，但觀念轉變非朝夕可成，如同「史」字的含義變化一樣，「國史」也面臨同等困境。總體來說，其義大致符合王國維的提法，即指一國之史。其次，「有史」一方並未正面承認有種族史和民族史，馬敘倫和陳黻宸（後期）的析史想法中也沒有特別提及，抬高部分史著更不以論證此二者爲重心。對於有國史，杜士珍和盛俊略有論述：「唯司馬氏《史記》爲中國二千年來之國史」〔註 43〕，「《史記》允稱國史」，「鄭樵既富有國史之思想。」〔註 44〕此外，其他學人的態度與「無史」一方無二。至於馬敘倫有關「有國即有史」的觀點，並非針對無國史問題。再結合「有史」一方對舊史的批判，可以說，他們對「無史」一方的論斷表示默認。最後，兩方都已普遍使用「中國」和「國民」兩個概念。

由此，在「國」與「史」的關係上，「無史」一方更強調史學與國運的關聯，力求借史達政，「史界革命不起，則吾國遂不可救」〔註 45〕，一語道盡「無史」的最終歸宿在救國，即要建立一個什麼樣的國家與要書寫什麼樣的歷史是本質互通的，打倒舊史學意味著推翻舊體制，重在打破，政治意義大於學術意義。相比之下，「有史」一方雖同樣強調二者聯繫，也認同史學的重要性和致用性，但沒有選擇激進徹底的方式，反而重在改建，學術意義大於政治意義。所以，如果「無史」一方是力圖令二者和合的話，那麼「有史」一方則希望能在二者間拉開幾度空隙。與第一個問題相連，反對朝史書寫體現了雙方「國家」意識的突顯，推許《史記》等書又證明了雙方對「國民」理念的吸納，當「中國」從意識中的一個概念漸成實體，雙方隨之樹起新的旗幟，「王朝」一去不復返。

縱觀整個論爭，從「無史」一方說，梁啓超首提「無史」後，後續雖有諸多聲援或反駁，但並未再作回應。鄧實發表「無史」看法後，後續雖也有諸多支持或反對，但也並未緊接著進行申辯，反而是在兩年後將「無史」作爲非重點問題捎帶一論。陳黻宸（前期）作出「無史」初斷後，經兩年時間便日傾「有史」。至於其他學人的聲音，基本集中在 1905 年之前，之後

〔註 43〕杜士珍：《班史正謬》，《新世界學報》第 4 期，1902 年 10 月 16 日。

〔註 44〕盛俊：《中國普通歷史大家鄭樵傳》，《新民叢報》第 42～43 號合本，1903 年 12 月 20 日。

〔註 45〕梁啓超：《中國歷史研究法》，北京：中華書局，第 182 頁。

熱度逐減。從「有史」一方說，馬敘倫連發三文，立場站定後未再動搖。杜士珍、陳懷和盛俊三人縱然痛批舊史，但未以「無史」而論，仍堅持「有史」底線。章太炎在前期未直接與「無史」相抗，卻在後期直袒舊史，「有史」之意昭然。至於其他學人的意見，始終不曾中斷，尤在1905年之後聲勢逐大。此外，多有學人從「無史」轉向「有史」，卻少有從「有史」轉向「無史」。由此，1905 年可以說是兩方勢力翻轉的關鍵點。究其原因，除前已述之外，還主要有以下兩點。

第一，中心學人的轉向。首先，在學術和政治考量之外，梁啓超「無史」論的提出帶有個人性格上的「情緒化成分」。「1902 年是梁啓超『變化無常』表現最強烈的一年」，「表現爲其政治立場『保守』——『激進』——『保守』的忽『左』忽『右』。而《新史學》恰恰是梁氏情緒亢奮，政治立場激進，持『左』的『冒險進取破壞主義』思想的產物。這就不能排除他當年發動這場『史學革命』時帶有青年人易犯的心血來潮、率爾操觚的情緒化成分。」〔註46〕對此，1903～1904 年，梁啓超已有所自省：「今後誓將去空言界，以入於實事界矣」，「自悔功利之說、破壞之說足以誤國也，乃壹意反而守舊，欲以講學爲救中國不二法門。公見今日之新進小生，造孽流毒，現身說法，自陳己過，以匡救其失，維持其弊可也。」〔註47〕可見，「空言」和「誤國」是梁啓超對一年前言論的自我否定。此外，自 1903 年 2 月始，梁啓超「應美洲保皇會之邀，遊歷美洲」，「在外無寸暑暇，一字之文不能做」，〔註48〕後又陷入廣智書局財政風波並參與籌劃《時報》，無從分身。〔註49〕更重要的是，與老師康有爲在政治立場的分合極大地影響了學術立場的進退。〔註50〕綜此三者，淡化以至放棄「無史」也只是時間問題了。其次，鄧實在 1902 年以後罕有史學類文章。1905 年，與章太炎等人成立國學保存會後，關注點完全轉到如何保存國粹上面，對「無史」的重提更像是反向敦促保學的重要而非正向批判舊史

〔註46〕路新生：《1902 年梁啓超「史界革命」的再審視》，《思想與文化》，2014 年第 1 期。

〔註47〕丁文江、趙豐田編：《梁啓超年譜長編》，上海：上海人民出版社，1983 年，第 312、340 頁。

〔註48〕丁文江、趙豐田編：《梁啓超年譜長編》，上海：上海人民出版社，1983 年，第 309、311 頁。

〔註49〕參見丁文江、趙豐田編：《梁啓超年譜長編》，上海：上海人民出版社，1983 年。

〔註50〕參見路新生：《1902 年梁啓超「史界革命」的再審視》，《思想與文化》，2014 年第 1 期。

的不足，二者的側重點已有反轉，預示了鄧實在日後也不會再有重回「無史」的可能。同一時期，馬敘倫也加入到國學會中，日漸成爲國粹派的得力幹將，越發不會改變「有史」前見。至此，「無史」一方的主要勢力已然瓦解，專論文章也已不見，僅靠其他學人的零散批判，實難再掀前般大浪，只能稱是浪後的小水花了。

第二，爭論本身的漏洞。首先，從「名」的角度，「無史」提法本就是一種極端化的表述，難以久長，儘管前提是以外史爲參照，內含是針對舊史弊端的具體的並非空洞的所指，但當抽象的思想以一二具象化的文字形式落於紙面時，其本義和外延便被文字本身所限制，而接收者又首先是在這種限制中對它進行首次解讀，如果兩方外部立場相同，則會一拍即合，影響力擴大，反之，如果兩方外部立場相異，則會反對連連，影響力削弱。故當「無史」失去與之相配的語境獨立出現時，必然會面對上述兩方的不同選擇，產生兩種不同效力，隨後伴之外在大環境的變動，兩方效力勢必發生相應的碰撞，最終只有一方能夠乘勢而行，另一方要麼被同化，要麼被暫時性湮沒，要麼被完全取締。顯然，「無史」這個詞匯在完成特定使命之後就成爲過去時了。與之相應，「有史」在失去參照之後也變換了存在形式，不再直接出現在人們的視野中了。其次，從「實」的角度，雙方的文章「大都充滿著一些論證簡單，但又對立鮮明的概念」〔註 51〕，如果條分縷析，便會發現矛盾之處俯拾即是。且學人觀點飄忽不定，對舊史的看法因文章主題不同而變化，比如對班固《漢書》的評定便時褒時貶，甚至對司馬遷《史記》的評判也會如此，既難以分類，又難以概括，時常令人一頭霧水。另外，是否仿照外史另立新史是雙方爭論的焦點之一，但除梁啓超之外，如鄧實、馬敘倫和部分邊緣人物，對西方或日本史學的瞭解仍停留在中譯外籍層面，既沒有切實研究過，也沒有完整踐行過，既存有某種「想當然」的成分，也存在某些跟風的現象。當然，包括梁啓超在內，他們的熱情壓過理性，以致很多判斷都需重審。換個視角，雖然「無史」之「名」不存，但他們所倡導的史學觀念和書寫模式，如文明進化觀、民史和種族史等，卻得到「有史」一方的認可，兩方最終在「實」上同歸。雖然在教科書的寫作中還體現的不甚明顯，但的確已與舊史分流，在共建新史上邁出了艱難的第一步。

綜上所述，從背景到過程再到結局，兩方的論爭可以說是你中有我、

〔註 51〕王汎森：《近代中國的史家與史學》，上海：復旦大學出版社，2010 年，第 21 頁。

我中有你，相連交互。論爭的參與者，以青年人爲主，這就不可避免地會因「氣盛」抒發過激情緒，感性大於理性，使論斷出現絕對化傾向。「無史」一方出國學人居多，「有史」一方未出國學人居多，加之救國需求，相應之下，「無史」一方的域外因素遠勝本土因素，政治取向超過學術取向，「有史」一方則本土因素遠勝域外因素，學術取向超過政治取向。受制於時代，具有現代性的歷史認識和史學認識剛剛起步，兩方的觀點衝突和內部邏輯難免會有看似矛盾的地方，以今視昔，應予以「同情」之理解。論爭終結，與其說誰敗誰贏，倒不如說殊途同歸，但在嚴格意義上，卻又並非是沒有交點的「殊途」，而應是時有匯疊的「交途」，雖各有偏向，但都指向新史學建設，與傳統派分道揚鑣。

結語　論爭與新史學運動的關係

翻檢涉及中國史學發展的論著可以發現，對「新史學」〔註1〕這一概念各有界定。總的來說，有四種含義較爲常見：一是所有區別於舊史學的新興史學，二是以梁啓超和夏曾佑爲代表的新史學運動，三是以胡適和傅斯年爲代表的實證主義史學，四是以郭沫若和范文瀾爲代表的馬克思主義史學。每種含義的時段劃分因論著而異。結合論爭，特選取第二種含義作爲比較對象。

粗略地看，時間範圍上，以上世紀初至五四運動爲限，以梁啓超倡導「史界革命」爲標誌。內涵外延上，批判舊史、力創新史，折射出學術與政治的雙重訴求。來源歸溯上，深受日本文明史學、法國實證史學及德國民族史學等流派影響。歷史觀層面，尊奉文明進化，反對王朝正統和循環復古。史學書寫層面，提倡民史，反對君史。方法論層面，主張史學科學化，倡導跨學科研究。表現形式層面，採用章節新體，講求通俗著史。〔註2〕同時，存在「所謂『梁啓超式』的輸入，無組織，無選擇，本末不具，派別不明，惟以多爲貴」，

〔註1〕「新史學」這一概念，中外皆有。據李勇《中國新史學之隱翼》（北京：中國社會科學出版社，2015 年）一書和周祥森《新史學：歷史學者的永恆追求》（《史學月刊》，2005 年第 10 期）一文的梳釐，大致認定此概念是在 1898 年 4 月由美國史學家 E.W.道（Earle Wilbur Dow）最先在公開刊物上提出和使用。爲避歧義，此處所論僅限中國，以下不再作特別說明。

〔註2〕此處可參考：胡逢祥、張文建：《中國近代史學思潮與流派》，上海：華東師範大學出版社，1991 年；蔣俊：《中國史學近代化進程》，濟南：齊魯書社，1995 年；許冠三：《新史學九十年》，長沙：嶽麓書社，2003 年；瞿林東：《20 世紀中國史學發展分析》，北京：北京師範大學出版社，2009 年；李勇：《中國新史學之隱翼》，北京：中國社會科學出版社，2015 年；謝保成：《增訂中國史學史》，北京：商務印書館，2016 年；吳懷祺：《中國史學思想史》，北京：北京師範大學出版社，2016 年。

「稗販、破碎、籠統、膚淺、錯誤諸弊，皆不能免」〔註3〕的缺陷。以此說，論爭似與之如出一轍。

值得說明的是，「新史學運動」這一語詞和其下已被系統化概括出的豐富內容多是以今視昔的產物，以現有成見去看同期論爭，不免會忽略掉某些專屬於後者的特性。以歷史的眼光，從「正放電影」〔註4〕的視角，論爭是匯成新史學運動的一條支流。更確切地說，論爭發生時，沒有所謂的「新史學運動」，只有一種要破除和改造舊史的趨新意識，用「新史學」這樣一個極富鼓動性的口號宣言是爲了展示與舊史界決裂的決絕，掀起一場「史界革命」同樣是借一種極具煽動性的言語行爲達到革故鼎新的目的。後人將這兩個詞匯從歷史中抽離出來，作爲上世紀初新時代最具特色的標誌，作爲一個複雜紛呈新階段的概括，論爭自然會被作爲其中的一個部分進行分析，但這多是新史學「運動」結束以後的回望而少有之前或之中的順研，這正是二者比較得以發生的關鍵。

由此，具體地看，主要有三點需要注意。其一，論爭是新史學運動前半段的核心組成，更是新史學運動發端的第一場正式爭論。本質上，論爭所討論的要點不出「如何看待歷史」和「如何書寫歷史」，既涉及歷史本體和歷史認識，又涉及史學認識和史學方法，恰中「第一次史學革命」〔註5〕的要害，與新史學運動要解決的中心問題合拍。其二，被歸入新史學運動中的學人不一定是論爭的參與者，同樣，被劃進新史學運動中的內容也不一定就是論爭的內容。與新史學運動相比，論爭所涉及到的學人較少，很多新史學觀點的持有者並沒有發表「無史」或「有史」的相關論斷，在不少新史學的論著和譯書中也並沒有提到與論爭直接相關的內容，對舊史的批判之聲更不是處處都有「無史」或「有史」的影子。另外，離開論爭也不意味著退出新史學運動。比如梁啓超、鄧實及其他學人在提出看法後未再有後續申辯，並非代表著轉向舊史學陣營或不在新史學運動的其他領域施展身手。其三，如果說「新史學」陷入停滯且主力軍開始向國粹派轉移是發生在 1905 年的話，〔註6〕

〔註3〕梁啓超：《飲冰室合集》專集之三十四，北京：中華書局，1989 年，第 71～72 頁。

〔註4〕與前述羅志田「倒放電影」的概念相對，指按照歷史客觀發展的順序來分析歷史的演變過程。

〔註5〕王汎森：《近代中國的史家與史學》，上海：復旦大學出版社，2010 年，第 2 頁。

〔註6〕姜萌：《從「新史學」與「新漢學」——1901 到 1929 年中國史學發展史稿》，山東大學 2007 年碩士學位論文。

那倒正與論爭兩方情勢反轉的時間相吻合。但這並不影響論爭的繼續，畢竟參與者不只是由「新史學」的主力軍組成，況且「國粹派」的派別特質也是後來才被歸納出來。就當時而言，國粹團體雖在，卻沒有明確的身份限制和特定的身份認同。故重審論爭，若是先把學人頭頂上戴的帽子摘下來再去觀其模樣，或許會有新見。

總而言之，作爲歷史上新史學運動的關鍵部分，論爭並不與其完全等同，而是有自己相對獨立的一面。如果「倒序」研究是側重從新史學運動的全域中對論爭做出外在透視，那麼「正序」研究無疑是側重通過呈現論爭的複雜來揭示新史學運動的內在多元，二者相得益彰。無論如何，面對上世紀初的史學發展，絕非僅靠彼時或今日的幾個語詞便能爲之定性。「名」、「實」之間，唯有歷史本身才是最客觀的裁定者。

參考文獻

一、基本史料

（1）報刊與雜誌

1. 《時報》
2. 《民報》
3. 《覺民》
4. 《清議報》
5. 《湘學報》
6. 《時務報》
7. 《新民叢報》
8. 《政藝通報》
9. 《國粹學報》
10. 《國聞彙編》
11. 《譯書彙編》
12. 《警鐘日報》
13. 《東方雜誌》
14. 《新世界學報》
15. 《湖北學生界》
16. 《四川教育官報》
17. 《教育今語雜誌》
18. 《新世界小說社報》
19. （日）《時事新報》

（2）著作、文集與資料集

1. 陳德溥編：《陳黻宸集》，北京：中華書局，1995年。
2. 陳奇：《劉師培年譜長編》，貴陽：貴州人民出版社，2007年。
3. 陳慶年：《中國歷史教科書》，上海：商務印書館，1911年。
4. 陳寅恪：《金明館叢稿二編》，北京：三聯書店，2001年。
5. 丁保書：《蒙學中國歷史教科書》，上海：文明書局，1903年。
6. 丁文江、趙豐田編：《梁啓超年譜長編》，上海：上海人民出版社，2009年。
7. 葛懋春主編：《中國現代史論選》，桂林：廣西師範大學出版社，1990年。
8. 古同資譯：《日本維新三十年史》，上海：華通書局，1931年。
9. 胡如虹編：《蘇輿集》，長沙：湖南人民出版社，2008年。
10. 黃世仲：《洪秀全演義》，北京：人民文學出版社，1984年。
11. 蔣大椿主編：《史學探淵》，長春：吉林教育出版社，1991年。
12. 蔣貴麟主編：《康南海先生遺著彙刊》，臺北：宏業書局，1976年。
13. 李華興、吳嘉勳編：《梁啓超選集》，上海：上海人民出版社，1984年。
14. 梁啓超：《中國歷史研究法》，北京：中華書局，2011年。
15. 梁啓超：《飲冰室合集》，北京：中華書局，1989年。
16. 劉師培：《儀徵劉申叔遺書》，揚州：廣陵書社，2014年。
17. 馬敘倫：《我在六十歲以前》，北京：三聯書店，1983年。
18. 莫世祥編：《馬君武集》，武漢：華中師範大學出版社，2011年。
19. 喬治忠、朱洪斌編著：《增訂中國史學史資料編年‧清代卷》，北京：商務印書館，2013年。
20. 沈雲龍主編：《近代中國史料叢刊續輯》，臺北：文海出版社，1977年。
21. 汪榮寶：《中國歷史教科書》，上海：商務印書館，1909年。
22. 汪征魯、方寶川、馬勇主編：《嚴復全集》，福州：福建教育出版社，2014年。
23. 王栻主編：《嚴復集》，北京：中華書局，1986年。
24. 王學典主編：《20世紀中國史學編年》，北京：商務印書館，2014年。
25. 鄔國義編校：《史學通論四種合刊》，上海：華東師範大學出版社，2007年。
26. 夏曾佑：《中國古代史》，石家莊：河北教育出版社，2002年。
27. 謝維揚、房鑫亮主編：《王國維全集》，杭州：浙江教育出版社、廣州：廣東教育出版社，2009年。
28. 《辛亥革命時期期刊彙編》編纂委員會編：《辛亥革命時期期刊彙編》，北京：首都師範大學出版社，2011年。

29. 楊庭福：《譚嗣同年譜》，北京：人民出版社，1957 年。
30. 姚奠中、董國炎：《章太炎學術年譜》，太原：山西古籍出版社，1996 年。
31. 袁英光、劉寅生主編：《王國維年譜長編（1877～1927）》，天津：天津人民出版社，1996 年。
32. 張枬、王忍之主編：《辛亥革命前十年間時論選集》，北京：三聯書店，1960 年。
33. 張品興主編：《梁啓超全集》，北京：北京出版社，1999 年。
34. 章太炎：《訄書》，瀋陽：遼寧人民出版社，1994 年。
35. 鄭鶴聲編：《近世中西史日對照表》，北京：中華書局，1981 年。
36. 支那少年：《支那四千年開化史》，上海：廣智書局，1903 年。
37. 中央著作編譯局編譯：《馬克思恩格斯全集》，北京：人民出版社，1961 年。
38. 鄒容：《革命軍》，北京：華夏出版社，2002 年。
39. （日）福澤諭吉：《文明論概略》，北京：商務印書館，2009 年。
40. （法）伏爾泰：《風俗論》，北京：商務印書館，2000 年。
41. （法）基佐：《歐洲文明史》，北京：商務印書館，2009 年。
42. （法）孟德斯鳩：《論法的精神》，北京：商務印書館，1995 年。
43. （法）托克維爾：《論美國的民主》，北京：商務印書館，1991 年。
44. （意）維柯：《新科學》，北京：商務印書館，1989 年。
45. （英）密爾：《論自由》，北京：商務印書館，2007 年。
46. （英）亞當•斯密：《國民財富的性質和原因的研究》，北京：商務印書館，1983 年。
47. （德）黑格爾：《歷史哲學》，上海：上海書店出版社，2006 年。

二、研究論文

（1）期刊論文

1. 班瑋：《梁啓超與福澤諭吉》，《文史哲》，2004 年第 3 期。
2. 陳平原：《「元氣淋漓」與「絕大文字」——梁啓超及「史界革命」的另一面》，《文學評論》，2003 年第 3 期。
3. 黃克武：《從「文明」論述到「文化」論述——清末民初中國思想界的一個重要轉折》，《南京大學學報》，2017 年第 1 期。
4. 黃興濤：《晚清民初「文明」和「文化」概念的形成及其歷史實踐》，《近代史研究》，2006 年第 6 期。

5. 紀德君、龍志強：《黃世仲〈洪秀全演義〉版本與傳播情況考論》，《廣州大學學報》，2008年第1期。
6. 李洪岩：《論陳介石的史學思想》，《史學理論研究》，1992年第4期。
7. 李少軍：《試論明治變革時期日本對待西學的基本態度》，《武漢大學學報》，2002年第5期。
8. 李佔領：《辛亥革命時期的鄧實及其中西文化觀》，《歷史檔案》，1995年第3期。
9. 林輝鋒：《從史學到文字學——馬敍倫早年學術興趣轉變的內在思路》，《中山大學學報》，2007年第5期。
10. 劉超：《貌合神離：近代中國新史學與日本史學——以清末中國歷史教科書爲中心》，《史林》，2014年第5期；
11. 劉文明：《歐洲「文明」概念向日本、中國的傳播及其本土化述評》，《歷史研究》，2011年第3期。
12. 路新生：《1902年梁啓超「史界革命」的再審視》，《思想與文化》，2014年第1期。
13. 馬執斌：《丁寶書及其〈蒙學中國歷史教科書〉》，《江南大學學報》，2014年第4期。
14. 閔銳武：《梁啓超與福澤諭吉啓蒙思想在清末中國的傳播和影響》，《河北學刊》，2000年第6期。
15. 盛文沁：《「停滯」與19世紀歐洲政治思想：約翰•密爾論中國》，《社會科學》，2015年第5期。
16. 汪高鑫、鄧銳：《今文經學與史學的現代化》，《史學史研究》，2009年第4期。
17. 王俊年：《關於〈洪秀全演義〉》，《文學遺產》，1983年第3期。
18. 王晴佳：《中國近代『新史學』的日本背景》，《臺大歷史學報》，第32期，2003年12月。
19. 王晴佳：《中國文明有歷史嗎——中國史研究在西方的緣起、變化及新潮》，《清華大學學報》，2006年第1期。
20. 王志松：《近代報刊與日本政治小說的傳播——以〈清議報〉、〈新民叢報〉爲考察對象》，《東方叢刊》，1999年第3輯。
21. 魏松巍：《夏曾佑與〈最新中學中國歷史教科書〉》，《歷史教學》，1997年第3期。
22. 吳忠良：《鄧實史學思想析論》，《東方論壇》，2003年第2期。
23. 吳忠良：《鄧實與「新史學」思潮》，《南都學壇》，2003年第2期。
24. 周祥森：《新史學：歷史學者的永恆追求》，《史學月刊》，2005年第10期。

（2）學位論文

1. 姜萌：《從「新史學」與「新漢學」——1901到1929年中國史學發展史稿》，山東大學2007年碩士學位論文。
2. 劉超：《民族主義與中國歷史書寫——清末民國時期中學中國歷史教科書研究》，復旦大學2005年博士學位論文。
3. 羅長榮：《夏曾佑〈中國古代史〉對當前初中歷史教學的啓迪》，內蒙古師範大學2013年碩士學位論文。
4. 王峰：《近代中日西學輸入問題比較研究》，山東大學2008年碩士學位論文。
5. 王琳：《鄧實文化思想研究》，河北師範大學2009年碩士學位論文。
6. 吳宇浩：《廣智書局研究》，復旦大學2010年碩士學位論文。

三、研究著作

1. 胡逢祥、張文建：《中國近代史學思潮與流派》，上海：華東師範大學出版社，1991年。
2. 劉開軍：《晚清史學批評》，上海：上海古籍出版社，2017年。
3. 劉俐娜：《由傳統走向近代——論中國史學的轉型》，北京：社會科學文獻出版社，2006年。
4. 李孝遷：《西方史學在中國的傳播（1882～1949）》，上海：華東師範大學出版社，2007年。
5. 李勇：《中國新史學之隱冀》，北京：中國社會科學出版社，2015年。
6. 羅志田：《亂世潛流：民族主義與民國政治》，上海：上海古籍出版社，2001年。
7. 羅志田：《經典淡出之後——20世紀中國史學的轉變與延續》，北京：三聯書店，2013年。
8. 羅志田：《權勢轉移——近代中國的思想和社會》，北京：北京師範大學出版社，2014年。
9. 孫江、劉建輝主編：《亞洲概念史研究》，北京：三聯書店，2013年。
10. 王汎森：《近代中國的史家與史學》，上海：復旦大學出版社，2010年。
11. 王學典、陳峰：《二十世紀中國歷史學》，北京：北京大學出版社，2009年。
12. 俞旦初：《愛國主義與中國近代史學》，北京：中國社會科學出版社，1996年。
13. 張朋園：《梁啓超與清季革命》，長春：吉林出版集團有限公司，2007年。
14. 張越：《新舊中西之間——五四時期的中國史學》，北京：北京圖書館出版社，2007年。

15. 張越：《史學史通論與近現代中國史學研究》，北京：北京師範大學出版社，2011年。
16. 張廣智主著：《西方史學史》，上海：復旦大學出版社，2012年。
17. 鄭匡民：《梁啓超啓蒙思想的東學背景》，上海：上海書店出版社，2003年。
18. （日）狹間直樹編：《梁啓超・明治日本・西方》，北京：社會科學文獻出版社，2001年。
19. （日）永原慶二：《20世紀日本歷史學》，北京：北京大學出版社，2014年。
20. （英）雷蒙•道森：《中國變色龍：對於歐洲中國文明觀的分析》，北京：時事出版社，1999年。
21. （德）於爾根•奧斯特哈默：《亞洲的去魔化：18世紀的歐洲與亞洲帝國》，北京：社會科學文獻出版社，2016年。
22. （美）柯文：《在中國發現歷史——中國中心觀在美國的興起》，北京：中華書局，2002年。
23. （美）唐納德•R•凱利：《多面的歷史：從希羅多德到赫爾德的歷史探詢》，北京：三聯書店，2006年。
24. （美）伊格爾斯、王晴佳：《全球史學史——從18世紀到當代》，北京：北京大學出版社，2011年。

20 世紀 20 年代北大史學社會科學化改革新探

王郝維　著

作者簡介

王郝維，男，漢族，1992 年生，雲南昆明人。2010 年從雲南師大附中高中畢業，考入四川大學歷史學院，2014 年獲四川大學歷史學學士學位，畢業論文指導老師爲王東傑老師；之後保送山東大學儒學高等研究院（文史哲研究院），2017 年獲山東大學歷史學碩士學位，導師爲陳峰老師；現在華東師範大學人文社會科學學院歷史系攻讀歷史學博士，導師爲李孝遷老師，研究方向爲中國近代史學史。本文即我的碩士畢業論文《20 世紀 20 年代北大史學社會科學化改革新探》改訂而來。

提　　要

20 世紀 20 年代由朱希祖領導的北京大學史學系改革，其實質是一場史學社會科學化改革，這場改革既有國內淵源，又有海外淵源。在國內淵源方面，早期系主任康寶忠的貢獻不容忽視；而在海外淵源方面，或許以蔡元培爲中介，德國學者蘭普雷希特的學說成爲了朱希祖改革的重要靈感。

這場改革的領軍人物從始至終都是朱希祖，在校內隊伍方面，既有史學系內李大釗、何炳松、陳衡哲、李璜等人，在系外則有哲學系的陶孟和。而在校外同路人方面，除了美國哥大新史學影響影響了廈大、清華、北高和南高等高校外，中山大學史學系前後兩任系主任蕭鳴籟和朱謙之都出身北大，這可能促使他們將北大改革的風氣帶到中山大學。

朱希祖改革的終結原因一直成謎，有證據顯示這場改革的終結可能不是過去學者所認爲的那樣，即由傅斯年暗中主導的，而可能是由左派學生所推動的，這是因爲驅逐朱希祖的學生其實十分認可史學社會科學化的主張，並且非常庇護李大釗和陳翰笙這樣的左翼學者。最後需要明晰的是，這場改革的模式最終還是爲傅斯年主導的模式所取代，這代表著以朱希祖爲代表的史學社會科學化模式，與以傅斯年爲代表的史學自然科學化模式的衝突，後者對前者的取代可以從政治和學術等多方面的原因來分析。

2017年度上海市教育委員會科研創新計劃重大項目
「重構中國：中國現代史學的知識譜系（1901～1949）」
（項目批准號2017-01-07-00-05-E00029）

目次

緒　論

關於民國時期北大史學系的研究，過去多關注胡適和傅斯年等人爲代表的實證主義傳統，而對以 20 年代北大史學系主任朱希祖爲代表的社會科學化改革關注不多，這不可以不說是一種缺憾。由於與朱希祖的史學社會科學化改革同時期的整理國故運動影響更大，所以一般人對北大文史學科 20 年代面貌的認識難免更受後者影響，歷史的全貌被遮蔽。

其實在 1919～1930 年間，北京大學史學系在系主任朱希祖的領導下，進行了一場轟轟烈烈的改革，這場改革可以稱之爲史學社會科學化的改革，這場改革主要體現在課程內容及師資陣容上。在課程方面，朱希祖將社會科學有關科目列爲史學系基礎課程，其中包括社會學、政治學和經濟學等一系列科目；在師資方面，延攬了一批志在史學社會科學化的學者爲史學系開課，其中包括開設「唯物史觀研究」課程的李大釗，開設「歷史研究法」課程的何炳松，以及開設「歷史學」課程並介紹歷史學與社會科學關係的李璜等人。朱希祖領導的北大史學社會科學化改革持續了十餘年之久，在當時的史學潮流中佔據著重要位置，將民國時期的史學社會科學化運動提升到了一個新的階段。

在既存研究方面，周文玖關於朱希祖的一系列論文爲朱希祖及其北大史學系改革的研究奠定了基礎〔註 1〕；尙小明的專著《北大史學系早期發展史研

〔註 1〕周文玖：《朱希祖史學略論》，《史學史研究》，2004 年第 4 期；《朱希祖與中央研究院史語所》，《史學史研究》，2013 年 04 期；《朱希祖與中國史學》，《史學史研究》，1998 年第 3 期；《朱希祖與中國現代史學體系的建立——以他與北京大學史學系的關係爲考察中心》，魯東大學學報（哲學社會科學版），2006

究（1899～1937）》〔註2〕及郭衛東和牛大勇主編的《北京大學歷史學系簡史》〔註3〕也涉及了這場改革的具體內容；此外還有王愛衛的博士論文《朱希祖史學研究》〔註4〕，張世國的碩士論文《北京大學史學系早期的初步發展》〔註5〕，二者是碩博士論文中有關研究的佼佼者。〔註6〕上述既存研究多側重於這場改革的國內淵源，且尚有遺漏，或者各得一面，有待全面梳理，尤其是忽視了北大史學系前任主任康寶忠的影響；另一方面，既存研究對於海外淵源的探討還有深入的空間，論者雖然注意到德國學者蘭普雷希特對朱希祖的影響，卻沒有注意到蔡元培在其中發揮的中介作用，這也正是本文所要著重討論的問題。既存研究對這場改革的北大校內隊伍及校外同路人有所提及，但是缺乏系統的梳理，尤其較少爲人注意的是中山大學史學系前後兩任系主任蕭鳴籟和朱謙之都出身北大，這可能促使他們將北大改革的風氣帶到中山大學，而且朱謙之轉入史學社會科學化研究可能也與北大的陳翰笙有關，這些都是本文所特別留意的。

既存研究對朱希祖改革的終結原因眾說紛紜，有證據顯示這場改革的終結可能不是過去學者所認爲的那樣，即由傅斯年暗中主導的，而可能是由北大左派學生所推動的。另外，學界一般都注意到這場改革的模式最終還是爲傅斯年主導的模式所取代，但是很少從這樣一種視角進行分析，即以朱希祖

年第1期；《傅斯年、朱希祖、朱謙之的交往與學術》，《史學史研究》，2006年第1期。

〔註2〕尚小明：《北大史學系早期發展史研究（1899～1937）》，北京大學出版社，2010年。

〔註3〕郭衛東，牛大勇主編：《北京大學歷史學系簡史》，北京大學歷史學系，2004年。

〔註4〕王愛衛：《朱希祖史學研究》，南開博士論文2009年，第178頁。

〔註5〕張世國：《北京大學史學系早期的初步發展》，北大碩士論文2004年，第52頁。

〔註6〕此外相關既存研究還有劉召興，田嵩燕：《朱希祖與胡適——兼及章門弟子與英美派在北大的歷史關係》，《東方論壇》，2006年第6期；劉召興：《朱希祖與「史學二陳」》，《魯迅研究月刊》，2008年第6期；盧毅：《章門弟子與中國近代史學轉型》，《史學月刊》，2006年第10期；王愛衛：《朱希祖與蔡元培——與丁龍嘉教授的商榷》，《德州學院學報》，2006年第3期；王愛衛：《評朱希祖的〈中國史學通論〉》，《德州學院學報》，2006年第5期；李琳：《朱希祖的學術經歷與史學思想》，《法制與社會》，2017年第5期；仲偉民；張銘雨：《20世紀上半葉中國歷史學的社會科學化——以清華學人爲中心的考察》，《北京師範大學學報（社會科學版）》，2016年第2期。

爲代表的史學社會科學化模式，與以傅斯年爲代表的史學自然科學化模式之間的衝突來探討，〔註 7〕後者對前者的取代還可以從政治和學術等多方面的原因來分析，這些都是本文想有所突破的地方。

〔註 7〕類似視角的討論還可參見王學典著：《新史學與新漢學》，上海古籍出版社，2013 年；姜萌：《從「新史學」到「新漢學」——1901～1929 年中國史學發展史稿》，山東大學碩士論文，2007 年。但本文的視角還是與上述文章有所不同。

第一章 北大史學社會科學化改革的淵源

1.1 國內淵源——新史學運動以來的國內史學潮流

梁啓超在《新史學》中較早提出社會科學入史問題，在《史學之界說》論及「史學與他學之關係」時，他認爲地理學、地質學、人種學、人類學、言語學、社會學、政治學、宗教學、法律學、經濟學都和史學有直接的關係。章太炎對此也有呼應，他在《新民叢報》發表《章太炎來簡》，關於新式中國通史的體例和宗旨，他提出：「惟通史上下千古，不必以褒貶人物、臚敘事狀爲貴，所重專在典志，則心理、社會、宗教諸學，一切可以鎔鑄入之。」〔註 1〕章太炎本人甚至直接譯述過日人岸本能武的《社會學》，這都體現了他對社會科學的重視。後來出任京師大學堂教習的陳黻宸在《政藝通報》發表《讀史總論》，該文也呼應了梁啓超，他指出「史學者，乃合一切科學而自爲一科者也」，陳氏認爲史學不僅要「合政治學、法律學、輿地學、兵政學、術數學、農工商學而後成」，而且「又必合教育學、心理學、倫理、物理學、社會學而後備。」「讀史而兼及法律學、教育學、心理學、倫理學、物理學、輿地學、兵政學、財政學、術數學、農工商學者，史家之分法也；讀史而首重政治學、社會學者，史家之總法也。」〔註 2〕。而後來清廷頒佈《奏定學堂章程》，依據日本學制，爲尚未籌辦的文學科大學中

〔註 1〕章太炎：《章太炎來簡》，《新民叢報》第 13 期，1902 年 8 月 4 日。

〔註 2〕陳黻宸：《京師大學堂中國史講義》，《陳黻宸集》下冊，中華書局，1995 年，第 675～713 頁。

國史學門和萬國史學門制定了詳細科目。兩個史學門還設有所謂「隨意科目」，即選修課程，如人類學、全國人民財用學、國家財政學等。這可以說是將社會科學入史理念提升到官方學制層面的嘗試，也是前述新史學先驅努力的成果。〔註 3〕民國成立後，按照 1913 年教育部公佈的大學規程，文科下設歷史學門，其中規定歷史學門分為「中國史及東洋史學類」和「西洋史學類」。「中國史及東洋史學類」的課程有人類及人種學，「西洋史學類」課程則有經濟學、人類及人種學，〔註 4〕社會科學入史的理念至此在民國學制中延續下來。

1916 年 12 月，蔡元培出任北京大學校長。蔡元培執掌北大後開始改革學制，他提出大學專設文、理二科，而在各科中，蔡元培最先增設文科史學門，可見蔡元培對於史學門的重視。1917 年 9 月，北京大學正式設立中國史學門，據朱希祖回憶當時史學門的師資多是不喜新文學而改歸史學門的。〔註 5〕另一位北大教授沈兼士也呼應了朱希祖的說法，據他回憶說：「民初蔡元培長北大，初設史學系，大家都不大重視，凡學生考不上國文學系的才入史學系」。〔註 6〕從以上材料可見，蔡元培對史學的重視超乎當時一般人的認識，尤其是朱希祖提到，當時文科學長陳獨秀是對新文學更為重視的，對新文學不甚熱情的人才歸入史學門，更可見史學門的獨立壯大主要源於校長蔡元培的直接關心。

北大史學門獨立後，其課程安排經歷了一連串的變化，逐步引入了社會科學課程。據《北京大學文、理、法科本、預科改定課程一覽》，1917 年時史學門課程分為通科與專科兩類，前者中就包括了人種學及人類學、社會學等科目，後者中則包括了中國法制史（法理學及西洋法制史）、中國經濟史（經濟學）等。除此之外，史學門還設有特別講演，特別演講中還有「中國人種及社會之研究」這樣的題目。〔註 7〕然而以上計劃似乎停留在計劃階段，查閱

〔註 3〕《奏定大學堂章程》，收入陳元暉主編；璩鑫圭、唐良炎編：《中國近代教育史資料彙編・學制演變》，上海教育出版社，1993 年，第 349～353 頁。

〔註 4〕《大學規程》，原載於《教育雜誌》第 5 卷第 1 號（1913 年 4 月）。

〔註 5〕朱希祖：《北京大學史學系過去之略史與將來之希望》，原載於《國立北京大學卅一週年紀念刊》（1929 年）。

〔註 6〕沈兼士：《近三十年來中國史學之趨勢》，收入葛信益、啓功整理：《沈兼士學術論文集》，中華書局，1986 年，第 372 頁。

〔註 7〕《北京大學文、理、法科本、預科改定課程一覽》，收入潘懋元、劉海峰編：《中國近代教育史資料彙編・高等教育》，上海教育出版社，1993 年，第 384 頁。

當時刊登在北大日刊上的《文科本科現行課程》〔註8〕，此時史學門還只有一年級課程，已開設了經濟史與法制史，但無論在選修或是必修課程中，均無計劃中提到的人種學及人類學、社會學等科目，直到1918年9月刊登的課表中，才出現人類學這一門課程。〔註9〕

另外，北大國史館的專史編纂也影響了本科教學。有論者注意到，蔡元培接管北大後，國史編纂處改隸於北京大學，並以協助纂修國史之名成立中國史學門。史學門的教員主要由不滿於新文學的文科教員和國史編纂處的部分人員組成。1917年開設的課程有中國通史（黃節）、地理沿革史（張相文）、法制史（陳漢章）、經濟史（蔣觀雲）、學術史（葉瀚）5門。史學門的課程內容大多與國史纂輯的方向有關，例如中國通史一課不以時代爲序，而是以「分類法」作爲講授方式，明顯是爲了遷就纂修國史分類工作的需要。中國法制史連帶法理學、中國經濟史連帶經濟學的課程計劃可能就是由此而生。可見北大國史館的專史編纂一定程度上帶動了多學科治史的風氣。

北大多學科治史的取向還與蔡元培的規劃有關。1918年10月，蔡元培代表北大在全國專門以上學校校長會議上提出大學本科應融通文理兩科界限。〔註10〕與融通文理各科相伴的是選科制。1917年10月，教育部召開會議，研討修改大學規程，當時議決公佈者，第一項即爲「採用選科制度」。這是蔡元培在去年會議上提出的，他曾草擬說明書，報送教育部，其中規定：「選科於本門專治一系外，更當兼治與專科有重要關係者。其尙願旁治他學者，亦聽之」，〔註11〕選科制直接推動了跨學科研究風氣的蔓延，自然也推動了多學科治史取向的發展。

受文理各學科融通思潮和選科制的影響，1918年11月，當時刊登的《本校擬在專門以上各學校校長會議提出討論之問題》〔註12〕一文列出了史學系

〔註8〕《文科本科現行課程》，《北京大學日刊》，1917年11月29日。

〔註9〕《文預科七年度第一學期課程表》，《北京大學日刊》，1917年9月14日。

〔註10〕高平叔撰著：《蔡元培年譜長編》第二卷，人民教育出版社，1999年，第131～132頁。

〔註11〕高平叔撰著：《蔡元培年譜長編》（中），人民教育出版社，1996年，第60～61頁。

〔註12〕《本校擬在專門以上各學校校長會議提出討論之問題》，《北京大學日刊》，1918年11月8日。

相關科系，其中包括了哲學、文學、政治學、經濟學、生物學、地質學和法律學各系。這其實是在為史學系學生跨學科選修課程作鋪墊。

而到了 1919 年 8 月，北京大學廢門設系，中國史學門改為史學系，康寶忠任主任。〔註 13〕這時史學系課程增設心理學、社會學、經濟學，〔註 14〕這可以說是北大史學社會科學化開始啟動的重要標誌。然而 1919 年 11 月 1 日，康寶忠突發疾病逝世，時年三十五歲。同年 12 月 10 日，朱希祖接替其位置，正式出任北京大學史學系主任。〔註 15〕

朱希祖正式出任北大史學系主任後，就開始將社會科學課程系統引入史學系，他在史學系課程指導書中提出「學史學者，先須習基本科學」，「必須於二年以內先行學完，乃可以言史學」，「基本科學既習之後，則各種科學的歷史……亦須次第選習」。〔註 16〕因此課程指導書甚至規定：「茲將本國、外國之現代史排列在第二學年……其所以不排在第一學年者，以史學基本科學未習，則搜集史料，尚無判斷之能力故耳。〔註 17〕」

桑兵教授曾指出：「朱希祖發起的史學課程改革，其實只是將清末以來條文所載的規劃落到實處，在思維的方式和方向上與前此一脈相承。當然，時間畢竟有近二十年的差距，譯書數量增加，留學程度提高，對社會科學的認識更加清晰化。」〔註 18〕這段話很好地描述了朱希祖在北大史學社會科學化歷程中的位置，那就是朱希祖的改革並不是中國史學社會科學化的起點，甚至也不是北大史學社會科學化的起點，它是自清末以來國內一系列史學潮流發展的結果，並非無源之水，更不是他個人的一時興起；但是朱希祖又確實在這種潮流和運動中佔據了一個特殊的位置，從而將史學社會科學化運動提升到了一個新的階段。

〔註 13〕《評議會布告》，《北京大學日刊》，1919 年 8 月 16 日。

〔註 14〕《文本科史學系三二一學年課程時間表》，《北京大學日刊》，1919 年 10 月 24 日。

〔註 15〕《教務長布告》，《北京大學日刊》，1919 年 12 月 10 日。

〔註 16〕《史學系課程指導書（十二至十三年度）》，《北京大學日刊》，1923 年 10 月 29 日。

〔註 17〕《史學系課程指導書（十二至十三年度）》，《北京大學日刊》，1923 年 10 月 29 日。

〔註 18〕桑兵著：《晚清民國的國學研究》，上海古籍出版社，2001 年，第 73 頁。

1.2 海外淵源——西方史學社會科學化運動的傳播

關於朱希祖改革的靈感，其實還可以追溯到他早年的留學經歷。朱希祖1905 年進入日本早稻田大學師範科學習，留學期間他閱讀過文明史，學習過經濟學、人類學、地文學等課程，他甚至還翻譯了《心理學》教科書，〔註 19〕由此可見，朱希祖當時就已廣泛涉獵各種社會科學。另一方面，章太炎的影響也不可小視。1908 年 7 月，章太炎開始在民報社寓所爲朱希祖等八人開設特訓班。〔註 20〕而章太炎也是多學科治史的先驅，他在清末就提出編修新式中國通史，融合心理、社會、宗教諸學，章太炎還直接譯述過日本學者岸本能武的《社會學》，這些都應對朱希祖秉承史學社會科學化理念產生了影響。〔註 21〕所以朱希祖後來對時興的考據風尚並不很以爲然，這或許就與他早年對社會科學的興趣有關。

朱希祖改革的海外淵源還可以追溯到德國學者蘭普雷希特身上來，朱希祖在爲《新史學》所作的序中提到：

> 民國九年的夏天，我擔任北京大學校史學系的主任，那時我看了德國 Lamprecht 的《近代歷史學》……Lamprecht 的意思，以爲歷史進程的原動力，自然在全體社會；研究歷史，應當本於社會心的要素。所以研究歷史，應當以社會科學爲基本科學。我那時就把北京大學史學系的課程，大加更改。本科第一二年級，先把社會科學學習，做一種基礎……特別注重的，就推社會心理學……〔註 22〕

在這裡，值得注意的是朱希祖自稱受到蘭普雷西特《近代歷史學》的影響，這其實並不是泛泛而談的說法，也不是後來抬高自己改革源頭的說辭。因爲無論是多學科治史還是社會科學入史的理念，在國內都不是朱希祖的首創，然而朱希祖改革的個人特色就集中體現在：吸收蘭普雷西特關於現代歷史學應是社會心理學的學問的說法，在各種社會科學中特別強調社會心理學的重要性。當時由北大哲學系的陶孟和爲史學系開設「社會心理學」一課，而陶孟和使用的教材則是日本人速水滉所著的《現代心理學》，其中「社會心理學」

〔註 19〕朱希祖：《朱希祖日記》，中華書局，2012 年，第 40、53、55、57、83 頁。

〔註 20〕朱元曙，朱樂川撰：《朱希祖先生年譜長編》，中華書局，2013 年，第 25 頁。

〔註 21〕學者王鋭也曾注意到這一點，見王鋭著：《章太炎晚年學術思想研究》，商務印書館，2014 年，第 173～174 頁。

〔註 22〕朱希祖：《新史學·序》，收入〔美〕魯濱孫著；何炳松譯：《新史學》，廣西師範大學出版社，2005 年。

一章正是把社會心理學的誕生追溯至德國萊比錫大學的馮特那裡，而同在萊比錫大學的蘭普雷西特也自稱正是受到馮特的影響，從而認爲現代史學應是社會心理學的學問的。可見當時來自馮特和蘭普雷西特等人關於史學與社會心理學關係的學說，通過多種渠道交相影響了國內史學。

接下來的問題是朱希祖爲什麼會注意到蘭普雷西特？由於朱希祖本人只在日本留學過一段時間，只對日文較爲精通，就連他所讀的蘭普雷希特作品也是日文譯本。〔註23〕而且從留學一直到進入北大這段時間，朱希祖關注的重點始終不是史學而是國文，所以陳獨秀第一次推薦他任史學系主任時，他即不就。直到1919年，前任系主任康寶忠突然離世，他才勉強就任。這也就是說，在短短一年時間內，朱希祖才開始重點關注史學發展。而在這種情況下，他就能注意到德國新興史家蘭普雷西特，而且在不太瞭解的情況下，就敢於把他的觀點確立爲北大史學系的改革綱領，這如果沒有大環境的支撐是很難想像的。

關於這一問題，從現在已知的各種材料中能推斷出一種可能，那就是蔡元培或許是推動朱希祖以蘭普雷西特爲榜樣來進行改革的關鍵人物。這其中一個很大的理由就是：蔡元培在萊比錫大學留學時曾師從蘭普雷希特。〔註24〕蔡元培在留學期間曾聽過蘭普雷希特很多課程，包括以下內容：

——德國現代文明史，其過去與現在1909

——德國古代與中世紀的文明史1909／1910

——德國現代文明史：世界觀與科學觀1909／1910

——宗教改革與文藝復興時期的德國文明1910

——古典時期的德國文明1911

——歐洲從中世紀過渡到近代的歷史1912／1913

——專制主義時期的德國文明史1910／1911

——史學方法與歷史藝術觀1910〔註25〕

〔註23〕後來朱希祖曾回憶說：「余自十年前初擔任史學系主任，因讀德國史學家朗泊雷希脫所作《歷史學》（日本文譯本）」，見朱元曙，朱樂川撰：《朱希祖先生年譜長編》，中華書局，2013年，第325頁。

〔註24〕學者王銳曾注意到這一點，但未深入研究。見王銳著：《章太炎晚年學術思想研究》，商務印書館，2014年，第177頁。

〔註25〕蔡元培研究會：《論蔡元培——紀念蔡元培誕辰120週年學術討論會文集》，旅遊教育出版社，1989年，第462頁。

對於這位恩師，蔡元培後來在回憶中還提到：「蘭普來西氏是史學界的革新者，他分歷史為五個階段：（一）符號時代，（二）雛型時代，（三）沿習時代，（四）個性時代，（五）主觀時代。」〔註 26〕他還提到：「蘭氏講史，最注重美術，尤其造形美術，如雕刻、圖畫等。彼言史前人類的語言、音樂均失傳；惟造形美術尚可於洞穴中得之，由一隅反三隅，可窺見文化大概。研究所中搜集各地方兒童圖畫甚多，不但可考察兒童心理，且可與未開化人對照。」〔註 27〕這些都說明蔡元培對蘭普雷希特的學說是非常熟悉的。

除此之外，蔡元培還在蘭普雷希特創立的文明史與世界史研究所中待過。對此，他在回憶中說：「蘭氏所創設的文明史與世界史研究所，除蘭氏外，尚有史學教授六七人，學生在三四年級被允許入所研究者，那時約四百人。我以外國學生，不拘年級，亦允入所併在蘭氏所指導的一門中練習。」〔註 28〕

蔡元培與蘭普雷希特的來往甚至持續到他回國以後，蔡元培曾提到：「我長教育部的時候，蘭普來西氏曾來一函，請教育部派學生二人，往文明史與世界史研究所相助，我已於部中規定公費額二名，備擇人派往，人選未定，而我去職。」〔註 29〕而當蔡元培從教育部離職，第二次到德國萊比錫大學留學時，他與蘭氏的來往可以說更加密切了，對此蔡元培回憶說：「蘭普來西要求我供給中國文明史材料，我允之。擬出我起中文稿，由顧君譯成德文。」〔註 30〕由此可見蔡元培與蘭普雷希特的交情非同一般。

雖然還沒有找到材料證明蔡元培直接向朱希祖提過蘭普雷西特，但是蔡元培在北大多次演講都以德國大學，特別是萊比錫大學和柏林大學為改革榜樣。朱希祖作為系主任，尤其是一個準備不足的系主任，響應北大總的改革思路很可能是一種穩妥的選擇。那麼北大史學系改革以德國大學歷史系為榜樣也就成了自然的邏輯，而直接關注蔡元培所在的萊比錫大學歷史系，可能

〔註 26〕蔡元培著；高平叔編：《蔡元培全集》第 7 卷，中華書局，1984 年，第 299 頁。

〔註 27〕蔡元培著；高平叔編：《蔡元培全集》第 7 卷，中華書局，1984 年，第 299 頁。

〔註 28〕蔡元培著；高平叔編：《蔡元培全集》第 7 卷，中華書局，1984 年，第 300 頁。

〔註 29〕蔡元培著；高平叔編：《蔡元培全集》第 7 卷，中華書局，1984 年，第 313 頁。

〔註 30〕蔡元培著；高平叔編：《蔡元培全集》第 7 卷，中華書局，1984 年，第 313 頁。

是對德國史學最新前沿不甚瞭解的朱希祖當時更穩妥的選擇。當然，蘭普雷西特可能在當時日本史學界已有一定名氣，這需要另文探討。但是蔡元培的影響仍然可能進一步推動朱希祖重視蘭普雷西特，因爲朱希祖幾乎一直都遠離史學研究的中心，即使他個人對史學社會科學化早有興趣，但沒有其他相關人士的背書或支持，就貿然把一位國內學界尚不熟悉的外國史家的觀點確立爲中國最高學府史學系的綱領，這似乎有些說不過去。

關於蔡元培在改革北大的過程中，處處透露其改革靈感源於德國大學的例子非常多。1917 年 12 月，蔡元培在《北大二十週年紀念會演說詞》中提到萊比錫大學和柏林大學爲北大追趕的目標。〔註 31〕實際上，蔡元培早已在改革北大之初就參考了德國大學的制度，對此他提到：「惟二十年中校制之沿革，乃頗與德國大學相類。」「所望內容以漸充實，能與彼國之柏林大學相頡頏耳。」〔註 32〕

蔡元培除了從德國大學學習到重視研究和取消經科的學術傳統外，他融通文理各科的理念有可能也源於德國。〔註 33〕現代意義上的選科制，最早實行的就是德國。從 18 世紀末到 19 世紀中葉，美國在大學中逐步推行，後來擴展到中學。蔡元培主張採用選科制，應該受到德美教育經驗的影響。〔註 34〕蔡元培受到德美模式影響的例子還不只這一處，他在北大開設研究所方面也參照了德美模式。〔註 35〕

由上可見，蔡元培的北大改革幾乎都以德國模式爲藍本，而他更是直接在多次演講中宣傳要以柏林大學和萊比錫大學爲改革榜樣。那麼即使我們假設蔡元培沒有直接向朱希祖提過蘭普雷西特，但朱希祖作爲系主任，在當時這樣的大環境中，也應該會響應北大總的改革思路，以德國大學歷史系爲榜

〔註 31〕蔡元培著；高平叔編：《蔡元培全集》第 3 卷，中華書局，1984 年，第 115 頁。

〔註 32〕蔡元培著；高平叔編：《蔡元培全集》第 3 卷，中華書局，1984 年，第 114 頁。

〔註 33〕見蔡元培研究會編：《蔡元培與現代中國》，北京大學出版社，2010 年，第 61 頁。

〔註 34〕金林祥著：《思想自由　兼容並包：北京大學校長蔡元培》，山東教育出版社，2004 年，第 228 頁。

〔註 35〕把歷史學中的外國史納入社會科學所，這似乎已經預示了未來整個歷史學科的歸屬，因爲當時中國史入國學門，外國史入社科所的處理方法，正說明當時學習西方制度與堅持本土體系之間的衝突。而後來蔡元培主導中研院時也想把歷史學歸入社科所，只是傅斯年反對罷了。

樣，尤其是蔡元培求學過的萊比錫大學歷史系。這是關於朱希祖為何注意到蘭普雷希特的一種可能的解釋。

退一步說，就算現在還沒有找到材料證明蔡元培直接向朱希祖提過蘭普雷西特，也並不等於這種可能性就沒有。因為有很多證據證明蔡元培對史學系改革有不少直接介入。除了蔡元培直接促使史學門脫離國文門獨立發展外，蔡元培後來還為史學系引薦了李大釗、何炳松和陳翰笙。甚至蔡元培直接將朱希祖的草案署上自己名字，將其上升到校級高度，引起更多重視。例如有學者論證蔡元培《請將清內閣檔案撥為北大史學材料呈》與朱希祖《中國史學通論》、《中國近世史要略序》和《改良中學校歷史地理教法議案》的思想觀點和行文語氣都極為相似，且朱希祖《中國史學通論》和《中國近世史要略序》較蔡文起草時間更早，由此推測這份呈文很可能是由朱希祖起草的。〔註 36〕如果論證屬實，這就進一步證實了蔡元培與朱希祖存在親密合作關係，所以蔡元培對朱希祖改革起過直接影響也是極為可能的。

其實，蔡元培也曾直接提到過史學系的改革方向。傅斯年曾給蔡元培寫過一封長信，名為《論哲學門隸屬文科之流弊》〔註 37〕，在同信中蔡元培提到：「史學必根據於地質學、地文學、人類學等，是數者，皆屬於理科者也。」〔註 38〕這是蔡元培明確提出多學科治史原則的地方，只是蔡元培為了說明文科應兼習理科，所以只舉了理科。按照蔡元培的想法，他認為「文理二科之劃分甚為勉強」，「一則科學中如地理、心理等等，兼涉文理；二則習文科者不可不兼習理科，習理科者不可不兼習文科，所以北大的編制，但分十四系，廢止文、理、法等科別。」〔註 39〕所以蔡元培對多學科治史的態度也應該是超乎於自然科學和社會科學之上的。另一方面，這時蔡元培已經決定將史學劃入社會科學門類，這也顯示他很有可能是支持史學社會科學化的。〔註 40〕

〔註 36〕王愛衛：《朱希祖史學研究》，南開博士論文 2009 年，第 178 頁。
〔註 37〕高平叔撰：《蔡元培年譜長編》第 2 卷，人民教育出版社，1999 年，第 11 頁。
〔註 38〕高平叔撰：《蔡元培年譜長編》第 2 卷，人民教育出版社，1999 年，第 116 頁。
〔註 39〕高平叔撰：《蔡元培年譜長編》第 2 卷，人民教育出版社，1999 年，第 116 頁。
〔註 40〕張世國：《北京大學史學系早期的初步發展》，北大碩士論文 2004 年，第 52 頁。

第二章　北大史學社會科學化改革的隊伍與同路人

2.1 改革旗手——朱希祖

北大史學社會科學化改革的領軍人物從始至終都是朱希祖，所以從頭到尾地梳理一遍朱希祖在改革中的領導過程是非常重要的。

蘭普雷希特對朱希祖的影響是極深的，上一章已經提到，1920 年的夏天，朱希祖擔任北京大學史學系主任時看了蘭普雷希特的《近代歷史學》，受其啓發，就對北京大學史學系的課程進行了大幅調整。另一方面，由於北大史學社會科學化改革主要是由朱希祖主導，所以蘭普雷希特也可以說是這場改革主要的靈感源泉。

1919 年 8 月，北大中國史學門改爲史學系，其時康寶忠尚爲主任，但朱希祖已經開始爲北大史學系開設史學史課程。在《國立北京大學學科課程一覽（八年度至九年度）》中，可見朱希祖在史學系本科三年級開設史學史課程。〔註 1〕有論者認爲這是中國史學界第一次提出「史學史」這一概念，而朱希祖的課堂講義《中國史學概論》則爲中國史學界第一本「史學史」。〔註 2〕講義後屢經修改，1943 年於重慶由獨立出版社出版，名爲《中國史學通論》。雖然該書出版時間很晚，但根據朱希祖書信，該書主體部分在他開課時就已完成。朱希祖在當年致張元濟的書信中提到：「唯《中國史學概論》一書爲史學系所

〔註 1〕《文本科史學系三二一學年課程時間表》，《北京大學日刊》，1919 年 10 月 24 日。

〔註 2〕王愛衛：《朱希祖史學研究》，南開博士論文 2009 年，第 57 頁。

編，自謂稍有精義，且爲近時所作，已成三分之二，今冬可以脫稿。」〔註 3〕後來該書出版時，朱希祖也提到：「《中國史學通論》，原名《中國史學概論》，蓋敘述中國各種史體發展之大概，而略論其利弊者也，故謂之通論亦可。此書本爲國立北京大學史學系講稿，編於民國八九年間」。〔註 4〕

對於本文的主旨來說，《中國史學概論》一書更重要的價值是其處處流露出蘭普雷希特的影響。在「中國史學之起源」一節中，朱希祖將蘭普雷希特關於譜系和英雄詩的兩分法運用到中國史學上。〔註 5〕除此之外，朱希祖還進一步申說中國史學起源與蘭普雷希特的「兩元進化說」並不相悖。〔註 6〕朱希祖而在「中國史學之派別」一節中，朱希祖又運用蘭普雷希特的理論研究中國史學史，系統地運用蘭氏關於記述主義和推理主義的二分法，對中國史學史進行了梳理，總結出中國史學推理主義遠不如記述主義發達的特點。〔註 7〕

到後來發生驅朱運動時，驅朱宣言批評朱希祖缺乏原創著作，朱希祖對此做出回應時，他甚至專門強調了運用蘭普雷希特的理論研究中國史學史是其原創貢獻，對此他是這樣說的：「又如引德國歷史學家朗泊雷希脫說，證明中國史學起源亦有兩元傾向，兩元進化，譜牒起於周代，編年起於春秋，歷史專官起於魏晉，諸如此類絕大問題，重要斷案，皆出自余之心得」。〔註 8〕

除了運用蘭普雷希特的理論研究中國史學史外，朱希祖受蘭氏影響最顯著的表現，就是他對社會心理學的重視。〔註 9〕重視社會科學是當時流行的觀念，但是把社會心理學從中突顯出來，那就是蘭普雷希特的特色了。朱希祖將其落實到北大史學系課程指導中，當年的《史學系課程指導書》提到在各種科學中以社會學及社會心理學最爲重要。〔註 10〕

朱希祖對社會心理學的重視不僅反映在課程制定上，也反映在他個人研究中。1921 年 7 月，朱希祖在《中國古代文學上的社會心理》一文中運用了

〔註 3〕朱元曙，朱樂川撰：《朱希祖先生年譜長編》，中華書局，2013 年，第 169 頁。
〔註 4〕朱希祖著：《中國史學通論》，商務印書館，2015 年，第 3 頁。
〔註 5〕朱希祖著：《中國史學通論》，商務印書館，2015 年，第 17 頁。
〔註 6〕朱希祖著：《中國史學通論》，商務印書館，2015 年，第 18～19 頁。
〔註 7〕朱希祖著：《中國史學通論》，商務印書館，2015 年，第 25～26 頁。
〔註 8〕朱元曙，朱樂川撰：《朱希祖先生年譜長編》，中華書局，2013 年，第 325 頁。
〔註 9〕朱希祖：《新史學・序》，收入〔美〕魯濱孫著；何炳松譯：《新史學》，廣西師範大學出版社，2005 年。
〔註 10〕《史學系課程指導書（十二至十三年度，》《北京大學日刊》，1923 年 10 月 29 日。

社會心理學進行研究。〔註 11〕除此之外，在北伐後，朱希祖爲北大史學系開設民國史課程時，也自覺將史學社會科學化理念融入自己的講授中。對此，朱希祖提到：「自開學以迄今日，餘所講者爲內蒙古（包含東三省西部、日本所謂東蒙古）及新疆天山北路成立郡縣之次第，改行國爲居國，於政治經濟及社會文化，皆有極大關係；以與外蒙古及西藏相比較，即可以知其因果利害，此頗適用史學新方法，亦所謂應用社會科學者，決不至有相斫書之誚。」〔註 12〕

然而，最能證明朱希祖自稱受蘭氏影響不是一時託詞的證據，還是在他晚年。1938 年在致羅香林的信中，即使晚年早已遠離史學界中心，朱希祖仍然認爲史學社會科學化是新史學的方向，可見這種觀念對他影響之深，並非一時跟風。〔註 13〕

在 1919 年朱希祖接任康寶忠一直到 1920 年上半年這段時間內，北大史學系維持了康寶忠在任時制定的課程計劃，而從 1920 年下半年開始，朱希祖開始調整課程計劃。首先朱希祖貫徹多學科治史的理念，強調學習其他人文學科史。北大史學系在 1920 年下半年的《史學系課程說明書》中規定：

> 中國哲學史　中國文學史　中國美術史
>
> 各一年講完。哲學史隸哲學系，文學史隸文學系，美術史隸史學系，惟史學系學生必須兼治此三種。
>
> 中國法制史　中國經濟史　中國財政史
>
> 各一年講完。法制史與法律學系合班講授，經濟史、財政史與經濟學系合班講授。〔註 14〕

除此之外北大史學系保留了之前就開設的人類學，這是此時僅有的獨立社會科學課程，此外新開設的新史學和唯物史觀兩門課程，從理論層面討論了史學與社會科學的關係。

〔註 11〕朱希祖：《中國古代文學上的社會心理》，《新青年》，1921 年第 5 期，收入陳獨秀，李大釗，瞿秋白主編：《新青年》第 9 卷，中國書店出版社，2011 年，第 458 頁。

〔註 12〕朱元曙，朱樂川撰：《朱希祖先生年譜長編》，中華書局，2013 年，第 325 頁。

〔註 13〕朱希祖：《致羅香林》，收入朱元曙，朱樂川撰：《朱希祖先生年譜長編》，中華書局，2013 年，第 572 頁。

〔註 14〕《史學系課程說明書》，《北京大學日刊》，1920 年 10 月 19 日。

然而到了1921年下半年，北大史學系則在《史學系本年科目》中對本科四年的課程進行規劃，其中和多學科治史有關的有：

第一學年

社會學大意（二）

生物學大意（二）

政治學原理（三）

經濟學原理（四）

人類學及人種學（三）

以上選修

第二學年

法律哲學（二）

社會心理學（二）

統計學（二）

以上選修

第三學年

唯物史觀（二）

以上選修

第四學年

新史學（三）

中國史學概論（二）

以上必修〔註15〕

除了前面提到三四年級的三門理論課外，一二年級新增了大量史學相關學科課程，其中除生物學，大部分都屬於社會科學課程。對於這一改變，朱希祖在其後的《史學系課程指導書》中作出綱領性的解釋，他認爲學史學必須先學基本科學。〔註16〕這是北大史學系第一次將社會科學課程的引入上升到綱領層面上來，無論是從引入課程的數量，還是從引入意識的自覺上看，朱希祖的這一輪改革，都超越了康寶忠之前的改革。

在此之後，北大史學系本科課程基本保持這次改革後的面貌，直到北伐

〔註15〕《史學系本年科目》，《北京大學日刊》，1921年10月19日。

〔註16〕《史學系課程指導書（十二至十三年度）》，《北京大學日刊》，1923年10月29日。

結束才又有大的變化。而在此期間，從 1924 年下半年開始，朱希祖更將社會學、經濟學和社會心理學三門課程，從選修改爲必修，〔註 17〕這是北大史學社會科學化改革激進程度到達頂峰的標誌。

除了在課程上進行了大幅調整，朱希祖改革的特色還在於課下對學生的組織動員。早在朱希祖改革初期，他在史學系學生談話會上就談到編國史沒有價值，有價值的是編民史，不希望學生進國史編纂處。〔註 18〕

前面提到蔡元培接長北大後，國史編纂處改隸於北京大學，並以協助纂修國史之名成立中國史學門。史學門的教員主要由不滿於新文學的文科教員和國史編纂處的部分人員組成。史學門的課程內容大多與國史纂輯的方向有關，例如中國通史一課不以時代爲序，而是以「分類法」作爲講授方式，明顯是爲了遷就纂修國史分類工作的需要。國史長編中政治史、文明史的各類纂輯項目，亦多是中國史學門的開課內容。〔註 19〕而在這此講話中，朱希祖很明顯地希望走出國史編纂處對史學系的影響，眞正走進新史學的道路。這就是朱希祖提出要編「民史」而非「國史」的原因。

朱希祖的改革首先從批評「國史」式的舊史學入手，自然要順勢推出自己關於新史學的系統綱領。所以他在《北京大學史學系編輯中國史條例》中提出：「舊史學家注重政治一方面，茲宜注重社會全部，以社會學爲根柢，惟史學之所以與社會學不同者，社會學研究社會之共性，史學研究社會之個性，其對象則相同也（切實言之，舊史學眼光注重在政府，新史學眼光注重在民生，觀察點大不相同）。」〔註 20〕在由「民史」取代「國史」的內容基礎上，他又引出多學科治史的方法論變革。〔註 21〕

隨著朱希祖改革主旨精神的逐漸顯現，北大史學系已經有不少學生開始響應朱希祖。1922 年 4 月，北京大學史學系張國威、李正奮、王光璋、傅汝霖等 12 人發起成立「史學讀書會」。在《發起史學讀書會意見書》中，他們提到：「同學之中，關乎社會科學，既習之有素，而於本國通史亦略聞

〔註 17〕《史學系課程指導書（十三年至十四年）》，《北京大學日刊》，1924 年 10 月 2 日。

〔註 18〕朱希祖講：東村記：《史學論緒》，轉引自朱元曙，朱樂川撰：《朱希祖先生年譜長編》，中華書局，2013 年，第 136 頁。

〔註 19〕劉龍心：《學術與制度——學科體制與現代中國史學的建立》，新星出版社，2007 年，第 105～107 頁。

〔註 20〕《北京大學史學系編輯中國史條例》，《北京大學日刊》，1921 年 10 月 19 日。

〔註 21〕《北京大學史學系編輯中國史條例》，《北京大學日刊》，1921 年 10 月 19 日。

綱要，正以分代分科，各精探討，散之則各啓疆宇，合之則互輸材料，其利又一也。」〔註22〕

此外，朱希祖對北大史學會最大的規劃就是使其成爲自己課程改革的補充。對此他在演講中提到：「現在我們研究史學，把溥遍的連續的和社會科學的重要共同方法，託付在講堂上講。至於分工的研究……那就要靠諸君所組織的史學會了。」〔註23〕從這裡可以看出，朱希祖已經意識到史學社會科學化與分析史學之間的平衡問題，其實這時已經出現對朱希祖改革的批評聲音，這在後面還會具體展開分析。然而總體來說，這一階段在上述綱領的指導下，朱希祖進一步在史學會具體操作中落實了史學社會科學化的理念。1925年11月26日，朱希祖召集史學系全體學生開史學研究討論會，會上他提出本系每兩禮拜舉行學術講演一次。講演的範圍分「中國史」、「外國史」及「史學的基本科學」三組，講演者爲本系教授。〔註24〕其中「史學的基本科學」一組很明顯還是在落實史學社會科學化理念。

除了課程計劃和課外指導之外，朱希祖的改革還明顯體現在他聘任了一批傳播新史學的學者。1920年秋季新學年開始，朱希祖分別聘請李大釗擔任史學系「唯物史觀研究」課程老師，何炳松擔任「歷史研究法」課程老師，陳衡哲擔任「西洋近百年史」和「歐亞交通史」課程老師。〔註25〕1925年聘任李璜，設「歷史學」一門課程，介紹歷史學與社會科學的關係。〔註26〕而這正是下一節要重點討論的內容。

2.2 北大校內跨學科的改革隊伍

朱希祖的改革在北大獲得了不少同事的支持，其中也包括了他按自己的指導思想專門聘來的年輕學者。對於朱希祖在史學會上提出的改革思想，北大的老同事楊棟林就系統地做出回應。當時也在會上的他，更清楚指出了新史學幾個方向：其一，社會科學化；其二，社會學化；其三，地方權化；其

〔註22〕《發起史學讀書會意見書》，《北京大學日刊》，1922年4月19日。

〔註23〕《朱逷先教授在北大史學會成立會的演說》，《北京大學日刊》，1922年11月24日。

〔註24〕《史學研究會開會紀事》，《北京大學日刊》，1925年11月30日。

〔註25〕《註冊部通告》，《北京大學日刊》，1920年10月1日。

〔註26〕《史學系課程指導書（十三年至十四年）》，《北京大學日刊》，1924年10月2日

四，數學化與平凡化〔註 27〕。由此可見，楊棟林基本上是支持史學社會科學化的。如果說楊棟林還只是從自己對國內學界的觀察層面上附和朱希祖的話，何炳松則是爲他的改革綱領提供了海外學術資源的支撐。朱希祖當時爲何炳松傳播美國新史學思想提供了大力支持，對此他回憶說：「那時史學系中又有《歷史研究法》一課，就請金華何炳松先生擔任，何先生用美國 Robinson 所著的《新史學》原本做課本，頗受學生歡迎。我那時就請何先生把《新史學》譯做中文，使吾國學界知道新史學的原理。不到一年，《新史學》一書果然譯成，何先生就叫吾做一序。」〔註 28〕

1915 年夏天，何炳松從威斯康辛大學畢業，獲得政治學學士學位。當年秋季，他考入了普林斯頓大學研究院，攻讀現代史和國際政治。有論者指出這可能是何炳松在美國時與新史學派的淵源所在。〔註 29〕具體來看，魯濱遜的《新史學》當中也處處體現著史學社會科學化的影響。〔註 30〕

考察完何炳松，我們還要考察與何炳松有相似留美背景的陳衡哲，她也受到美國新史學派影響。回北大任教後，何炳松、陳衡哲用新史學派的方法和觀點編寫了西洋歷史。何炳松根據魯濱孫《西歐史》（*Outline Syllabus of the History of the Western European Mind*）編譯了《近世歐洲史》；陳衡哲編《西洋史》，也是依據魯濱孫的課本和房龍《人類的故事》等書改編。在何炳松支持下，新史學派的著作，如巴恩斯的《新史學與社會科學》、桑戴克的《世界文化史》、畢爾德主編的《人類走向何處去》（中譯本名《人類的前程》）、賽里格曼的《經濟史觀》、紹特威爾的《西洋史學史導論》（中譯本名《西洋史學史》），都相繼翻譯出版。此外，1920 年陳衡哲在北大教授西洋史時，指定預科學生的歷史參考書籍中，即有魯濱遜的 *Readings in European History*，魯濱遜和比爾德合著的 *Readings in Modern European History*、*The Development of Modern Europe*，海斯的 *A Political and Social History of Modern Europe*。〔註 31〕

〔註 27〕《楊棟林教授在本校史學會成立會的演說》，《北京大學日刊》，1922 年 11 月 28 日。

〔註 28〕朱希祖：《新史學・序》，收入〔美〕魯濱孫著；何炳松譯：《新史學》，廣西師範大學出版社，2005 年。

〔註 29〕房鑫亮著：《忠信篤敬：何炳松傳》，浙江人民出版社，2006 年，第 13 頁。

〔註 30〕何炳松譯著：《新史學　歷史研究法　通史新義》，吉林人民出版社，2013 年。各處頁碼在文中標注。

〔註 31〕《圖書部典書課通告》，《北京大學日刊》，1920 年 10 月 7 日。

在留美派之外，與朱希祖同爲留日派的李大釗也支持了他的改革。李大釗在北大史學系開設「唯物史觀」、「史學思想史」兩課，撰寫《史學要論》。有論者指出，李大釗與朱希祖都曾留學日本早稻田大學，所以在北大史學社會科學化方向上與朱希祖相互呼應。〔註 32〕據 1926 年進入北大史學系讀書的傅振倫先生回憶，1926 到 1927 年的北大《史學系課程指導書》都是李大釗和朱希祖共同制定的〔註 33〕

在李大釗當時的著述中，可也見他與朱希祖相近的思想資源。李大釗在《史學與哲學》一文的「Lamprecht 的史的定義」一節中說：「郎氏在他的什麼是歷史一書中說：『史事本體無他，即是應用心理學。歷史乃是社會心理學的科學。』」〔註 34〕此外他又說：「郎氏 Lamprecht 謂：『史有二方面：（一）取自然主義的形式的——譜系；（二）取理想主義的形式的——英雄詩。譜系進而成爲編年史，英雄詩進而成爲傳記。』這都可證明詩與史的關係密切了。」〔註 35〕他在《史學要論》中又談到：「同時又須採用生物學，考古學，心理學，社會學，及人文科學等所研究的結果，更以徵驗於記述歷史，歷史理論的研究，方能做到好處。」〔註 36〕

在留美留日派外，留法的李璜也是朱希祖直接延攬的新生力量。對此李璜曾提到：「我之所以半年後即被北京大學所徵聘，即因北大文學院歷史系主任朱希祖教授閱及我在武大的《社會學與歷史學》講演文稿，而來信武大，表示希望我能於武大一年之聘期滿後，到北大歷史系去任教。」〔註 37〕

關於課程的具體內容，李璜還進行了闡述。〔註 38〕查閱當年課表，1925 年下半年北大史學系由李璜開始「歷史學」這門課程，課程內容確實包含了對歷史學與社會科學關係的介紹。再查閱李璜當年出版的《歷史學與社會科學》〔註 39〕一書，其中對史學與社會科學的關係作了大的說明，首先他提出：

〔註 32〕歐陽哲生：《李大釗史學理論著述管窺》，收入張順洪，步平，卜憲群主編：《馬克思主義史學理論研究》第 1 輯，中國社會科學出版社，2012 年，第 333 頁。

〔註 33〕傅振倫：《七十年所見所聞》，華東師範大學出版社，1997 年，第 38～39 頁。

〔註 34〕李守常：《史學要論》，河北教育出版社，2000 年，第 241 頁。

〔註 35〕李守常：《史學要論》，河北教育出版社，2000 年，第 244 頁。

〔註 36〕李守常：《史學要論》，河北教育出版社，2000 年，第 20 頁。

〔註 37〕李璜著：《學鈍室回憶錄》，傳記文學出版社，1978 年，第 116 頁。

〔註 38〕《國立北京大學史學系課程指導書（續）》，《北京大學日刊》，1925 年 10 月 12 日。

〔註 39〕李璜著：《學鈍室回憶錄》，傳記文學出版社，1978 年，第 122 頁。

「現在一個研究歷史的學生，特別是研究中國歷史的學生，要想不受古人之欺，而又能得個歷史事件的統整觀念，便該當注意歷史學與社會科學：這差不多是成了一般的定論，而無庸疑義」。〔註 40〕李璜追溯史學社會科學化的起源，他認爲：「十九世紀後半期歷史學家分工去應用科學方法，爲社會科學著了一些明確的社會史，經濟史，宗教史，法律史等，然後社會科學才改觀，不再徒重理論，不再認爲經濟學或法律學上的原則是一成不變，萬世皆準的」。〔註 41〕他還認爲「這其中的功勞一部分要歸之於孔德將歷史與社會科學打成一片的研究」。〔註 42〕對於史學與社會科學未來的關係，李璜也有相當樂觀的展望。〔註 43〕

考察李璜在法國留學的經歷，也可證明他受到法國史學社會科學化風氣的強烈影響。一九一九年開始到法國巴黎大學文科聽課，他對塞足博斯教授（Prof. Seignobos，今譯瑟諾博司）的歷史課與補格來教授（Prof. Bougle）的社會學十分感興趣興趣。李璜說他是因爲瑟諾博司的《歷史學初步》引起他的興趣，才去選了他的《近代政治史》一課。在當時的中國，一般人對法國瑟諾博思的認知還停留在其歷史考訂層面，而親自受學於瑟諾博思的李璜則注意到其結合社會科學的一面。李璜提到瑟諾博司在《社會科學上的歷史學方法》一書中，關於歷史所留意的事件之物質條件方面，他認爲應包括「人種學上的事件，人口學上的事件，人造及自然環境之研究，物理的及經濟的地理（人種地理）」〔註 44〕。在李璜之後，國內果然有學者將瑟諾博思有關社會科學的史學方法論翻譯過來，後來由張宗文翻譯了瑟諾博司的《社會科學與歷史方法》，由大東書局出版。

除了瑟諾博司外，李璜還對補格來教授（Prof. Bougle）的社會學十分感興趣。在補格來的社會學教授班上，李璜受富戈勒副教授指導讀社會學數月，使他得著門徑。除此之外，李璜還去研究院聽穆士先生講比較宗教學。〔註 45〕

李璜還談到他在索爾朋讀書的最後兩年（一九二二秋至一九二四夏），特

〔註 40〕李璜著：《歷史學與社會科學》，東南書店，1928 年，第 1 頁。
〔註 41〕李璜著：《歷史學與社會科學》，東南書店，1928 年，第 13 頁。
〔註 42〕李璜著：《歷史學與社會科學》，東南書店，1928 年，第 13 頁。
〔註 43〕李璜著：《歷史學與社會科學》，東南書店，1928 年，第 25 頁。
〔註 44〕李璜著：《歷史學與社會科學》，東南書店，1928 年，第 17 頁。
〔註 45〕李璜著：《學鈍室回憶錄》，傳記文學出版社，1978 年，第 52 頁。

別注重社會學，當時他的求學環境為法國社會學涂爾幹派的氛圍包圍著。當時補格來教授的公開講演與指導課程，基本就偏於涂爾幹派社會學對哲學批判這方面，所以李璜聽了他兩年講「平等思想的來源」與「馬克斯和蒲普東的思想比較」等課。穆士導師與格拉勒講師，「則偏於好取原始或半開化社會生活以與文明社會比較立論的涂派另一面。」穆士導師對於李璜同格拉勒講師研究山海經等也十分感興趣。對於中國山海經，穆士認為這是古代中國「兼面舞踴」圖解，提醒格拉勒寫一本《古中國的舞踴及其神秘故事》，李璜曾為北京大學國學門研究所寫過這本書，「並藉以說明用涂派社會學方法以治中國古史的法國漢學的新作風」。〔註46〕

由於李璜受到法國社會科學的影響，所以他認為五四運動後，「各種社會科學的觀點逐次引入中國文史的研究之中，社會學、經濟學、統計學、人種學、人文地理學、社會心理學，比較宗教學，以至古生物學、考古學等，先後為治史者所分別注意，而史學視線為之擴大，壁壘為之一新」，並認為五四運動「特別在歷史學與社會科學上逐次樹立了中國新文化的前進路向」。〔註47〕這是他個人對五四運動後中國學界的觀察，值得注意的是其中他對社會科學入史的高度評價。

朱希祖的改革除了得到史學系同事的支持外，甚至也得到系外學者的有力支持，其中最重要的當屬陶孟和。前面已經提到，北大史學系引入了大量社會科學課程，這些課程基本都由相關科系開設。其中社會心理學一門是朱希祖改革綱領中重點強調的科目，當時由陶孟和開設這門課程。〔註48〕根據當時的課程說明，可見社會心理學的課程內容包含了社會制度之心理基礎等內容。課程參考書有：

Mc Dougall. *social psychology*.

Graham Wallas. *Human Nature in Politics*.

Graham Wallas. *Great Soiety*.

而陶孟和當時翻譯了日本人速水滉的《現代心理學》，其中也有社會心理學一章，章末附有的參考書也有這兩位學者的相關作品：

Mc Dougall. *lntroduction to social psychology*. 14th Edition. 1919

〔註46〕李璜著：《學鈍室回憶錄》，傳記文學出版社，1978年，第52～53頁。
〔註47〕李璜著：《學鈍室回憶錄》，傳記文學出版社，1978年，第112頁。
〔註48〕《哲學系課程一覽》，《北京大學日刊》，1922年10月9日。

Me Dougall. *The Group Mind*. 1920.

Graham Wallas. *Human Nature in Politics*.2nd Edition.1908

Graham Wallas. *Great Soiety*.1920.〔註 49〕

由此可見陶孟和的社會心理學課程內容，應該是有本於日本學者的作品，所以我們就可以從這本譯作中瞭解部分課程內容。

在該書「社會心理學及民族心理學」一章中，作者對社會心理學和與之相近的民族心理學進行了介紹：「民族心理學之爲科學，發達在最近，實乃正在發達之中，故尚未有一定之概念。如前所述，以社會心理學民族心理學同視者。有以民族心埋學爲研究現代人種，民族及國民之精神的特質（即民族性或國民性）者。」〔註 50〕作者提到眞正對民族心理學的概念作出科學定義的是德國的馮特（書中譯爲「翁德」），〔註 51〕「故翁德以爲民族心理學一方有別於歷史，特別於文明史之研究。一方脫離人類學，土俗學之研究個人的要素，全不羼入。專研究民族精神之產物，而無歷史的要素之溷雜者，以明各人種各民族共通團體精神之發達。」〔註 52〕而馮特正是德國萊比錫大學著名的心理學家，與他在同一所學校執教的史學家蘭普雷希特，正是受其影響而提出史學是社會心理學主導的學問。〔註 53〕所以陶孟和與朱希祖當時都共享了相同的思想資源，所以二人在課程改革方面產生了互相配合的效果。不止如此，陶孟和還參與翻譯了也屬美國新史學派的塞利格曼（Edwin R.A.Seligman）的《經濟史觀》一書。〔註 54〕由此可見，陶孟和在傳播新史學方面，與朱希祖存在著不少交集。

〔註 49〕〔日〕速水滉著；陶孟和譯：《現代心理學》，北京大學出版社，1922 年，第 202～203 頁。

〔註 50〕〔日〕速水滉著；陶孟和譯：《現代心理學》，北京大學出版社，1922 年，第 196 頁。

〔註 51〕〔日〕速水滉著；陶孟和譯：《現代心理學》，北京大學出版社，1922 年，第 198 頁。

〔註 52〕〔日〕速水滉著；陶孟和譯：《現代心理學》，北京大學出版社，1922 年，第 201 頁。

〔註 53〕見 Roger Chickering, *Karl Lamprecht：a German academic life（1856～1915）*, Humanities Press International, 1942. P.195～202.

〔註 54〕塞利格曼（Edwin R.A.Seligman）著；陳石孚譯；陶孟和校：《經濟史觀》，商務印書館，1920 年。

2.3 改革的校外同路人

有論者指出，北大史學系成爲當時歷史科系學院化的典範，特別是 20 年代其開展的史學社會科學化改革，爲不少新興歷史科系仿習。〔註 55〕

首先要討論的是作爲中山大學的前身，1924 年成立的廣東大學史學系，當時其本科課程包括了人類學和社會學等社會科學，其所佔的比例，幾乎與史學課程不相上下。〔註 56〕當時廣東大學史學系主任正是北大史學系 1917 屆畢業生蕭鳴籟。〔註 57〕1924 年廣東大學史學系建系之時，北大史學系改革正進行得如火如荼，蕭鳴籟作爲北大史學系畢業生，很可能是受母校改革影響，也將北大模式搬到了廣東大學。

而 1921 年成立的廈門大學歷史系，在創始之初便確立其從屬於社會科學門的定位。1924 年以後，廈門大學歷史學系改稱史學門，與社會學門同屬於歷史社會學系之下，其課程極其注重專史及各種社會科學，在 4 年課程當中，社會科學和其他輔助學科所佔的比重相當大，例如經濟學、心理學、政治學、統計學、社會學原理、社會心理學、法學總論、人類學等課，佔據了所有課程的一半。〔註 58〕此後，廈門大學史學門被劃歸到歷史社會學系中，而當時歷史社會學系主任徐聲金，正是美國阿海珂惠斯黎安大學經濟學兼政治學學士、哥倫比亞大學社會學碩士及博士兼史學正教授。〔註 59〕他本人橫跨經濟學、政治學、社會學和史學的研究範圍，決定了他必然將社會科學引入史學。另一方面他在哥倫比亞大學可能也受到新史學派影響，因爲在當時廈大歷史系課程參考書中，也多次列舉了魯濱遜和比爾德合著的 *Outline of European History*。〔註 60〕

〔註 55〕黃進興在研究中也注意到，20 年代以後各大學歷史科學系的課程有明顯朝社會科學轉化的趨勢。他以朱希祖在 1929 年發表的談話爲例，說明 20 年代初期和晚期對史學社會科學比態度的轉變。見黃進興《中國近代史學的雙重危機：討論「新史學」的誕生受其所面臨的困境》，收入《中國文化研究所學報》新第 6 期，1997 年，第 279～280 頁。

〔註 56〕國立中山大學編：《國立中山大學一覽》，國立中山大學，1920 年，第 27～28 頁。

〔註 57〕參見《國立廣東大學週刊·一週年紀念刊》，1925 年。郭衛東，牛大勇主編：《北京大學歷史學系簡史》，北京大學歷史學系，2004 年，第 504 頁。

〔註 58〕見《史學門課程表》，收入廈門大學編：《廈門大學布告》，廈門大學，1924 年～1925 年，第 61～65 頁、第 113～116 頁。

〔註 59〕《1924～1926 廈門大學文科教師履歷一覽表》，劉釗等主編：《廈大史學》第 1 輯，廈門大學出版社，2005 年，第 3 頁。

〔註 60〕廈門大學編：《廈門大學布告》，廈門大學，1922 年～1924 年，第 86～88 頁。

除了廈大和廣東大學外，當時的南京高師和北京高師也是傳播新史學的重鎮。與前兩者將重點放在課程改革上不同，南北高師重在對新史學思想的宣傳。當時較爲集中傳播魯濱遜新史學派思想的，南方以南高史地研究會出版的《史地學報》爲重鎮，北方則以北高史地學會出版的《史地叢刊》爲中心。

北京高師最早聘任剛回國的何炳松擔任教職，爲何炳松傳播新史學派思想提供了舞臺，爲其進入北大奠定了基礎。而南京高師的《史地學報》創刊於 1921 年，會員如繆鳳林、陳訓慈、徐則陵、向達爲傳播魯濱遜新史學做了不少工作。李孝遷教授指出《史地學報》之所以大力傳播魯濱遜新史學，源於南高的徐則陵出身於美國新史學派的重鎮——哥倫比亞大學，〔註 61〕所以他與北大的改革派們分享了相同的思想資源。南高同人的活動與北大同時進行的改革在方向上同中有異，源頭相近，北大極大地影響了南高同人，即使南高並沒有照搬北大模式。

在上述高校的改革和宣傳進行了很長時間之後，清華大學歷史系在 1929 年蔣廷黻接手系主任後，也進行了史學社會科學化改革。〔註 62〕清華大學歷史系的改革主要是蔣廷黻的決定。蔣廷黻受到哥倫比亞大學新史學派的影響，不僅翻譯《族國主義論叢》，還在南開大學教西洋通史時以魯濱遜的 *medieval and Modern Times* 一書爲教材，在南開和清華傳播和實踐魯濱遜新史學派的理論和方法。對此，李孝遷教授認爲 1925 年蔣廷黻在《現今史家的制度改革觀》一文中的史學認識與新史學派可以說有學緣關係。〔註 63〕

雖然蔣廷黻似乎並沒有直接提到北大史學系改革的影響，但是他改革指導思想的源頭——魯濱遜學派，經過北大改革尤其是何炳松翻譯《新史學》的宣傳效應累積，在 1929 年的中國，已經被很多人認知和接受了，這爲蔣廷黻的改革奠定了輿論基礎，減少了不少阻礙。

上述介紹的幾所高校，在史學社會科學化方面其實可以分爲兩種模式。一種是廣東大學（中山大學）模式，廣東大學是北大模式嫡傳，通過北大學生到外校任職任教，把北大改革模式帶到別的學校。廈大、南高、北高、清

〔註 61〕李孝遷：《美國魯濱遜新史學派在中國的迴響》（下），《東方論壇》，2006 年第 1 期，第 81 頁。

〔註 62〕蔣廷黻：《歷史學系概況》，收入清華大學校史研究室編：《清華大學史料選編》第二卷（上），清華大學出版社，1991 年，第 336~337 頁。

〔註 63〕李孝遷：《美國魯濱遜新史學派在中國的迴響》（上），《東方論壇》，2006 年第 1 期，第 57 頁。

華則是另一種模式，它們基本都是留美派受到美國新史學派影響後，再把新史學思想帶到國內高校中來的。對於後一類高校來說，北大只是因爲較早宣傳新史學，從而在輿論上爲其改革做了準備，或者在經驗上給這些高校以借鑒，也就是間接地促進了它們的改革。

在以上高校的改革之後，還出現了朱謙之領導的中山大學史學系改革。這場改革由於緣起十分複雜，所以需要特別介紹。在 1932 年中大文學院系主任聯席會議上，朱謙之報告編訂本系課程的要旨時明確提出：「史學爲社會科學之一種，故史學系課程，應多備社會學科課目。」〔註 64〕在中大史學系開設的課程中，設有所謂基本科學組，包括人類學、文化人類學、比較宗教學、社會科學概率論、民俗學、統計學、人文地理學、文化社會學等。〔註 65〕以上這些動作都標誌著中山大學史學系開始了全新的社會科學化改革。

那麼朱謙之領導的中山大學史學系改革與北大改革究竟有著怎樣的聯繫呢？一方面，朱希祖在離開北大後曾加入過中山大學的改革，然而更重要的是另一方面，即 1920 年朱謙之還在北大當學生時，時任北大史學系主任的朱希祖就開始了史學社會科學化改革，有論者指出，朱謙之的課程結構顯然吸收了朱希祖在北大課改的內容而有所損益，前者異於後者的地方就在於：第一，增加了文化史和現代史部分內容，加強了史學理論和世界歷史的位置；第二，基本科學、輔助科學由必修改爲選修；第三，教學行政制度上跨機構和專業開課，且爲跨歷史、社會、哲學、教育學多學科提供理論基礎一一文化哲學與文學院的社會學、哲學、教育學諸系合作，跨系開設課程。有論者指出朱謙之將史學系的基本學科與社會學系合併講授，不再另設，也是爲了呼應 1932 年初，與其有相近理念並接任社會學系主任的周穀城。〔註 66〕當然朱謙之的改革除了受以上原因影響外，還源於自己秉承的「現代史學運動」精神。

然而到這裡，我們還沒解決一個根本問題，那就是朱謙之的「現代史學」思想的源頭又在哪裏呢？經過一番探究會發現，朱謙之的「現代史學」思想

〔註 64〕劉小雲著：《學術風氣與現代轉型——中山大學人文學科述論，1926～1949》，生活・讀書・新知三聯書店，2013 年，第 243 頁。

〔註 65〕國立中山大學文學院編印：《國立中山大學文學院課程總目　第三史學系》，1933 年，第 52～60 頁。

〔註 66〕曹天忠，楊思機：《「現代史學派」與中國現代史學的「社會科學化」》，《思與言》第 44 卷第 2 期，2006 年，29～37 頁。

可能還是與北大史學系有著某種聯繫。另一方面，其實朱謙之的思想是發生過很大變化的，而考察這種變化，又可以揭示出當時史學社會科學化思潮在中國的波折與變化。

朱謙之最早轉向歷史研究的代表作是《歷史哲學》一書。1925 年，朱謙之辭去廈大教職，隱居於西湖葛嶺山下，最後發表了著名的《歷史哲學》。在此書中，朱謙之已經注意到史學社會科學化是當時西方史學界一股重要潮流，相對於它出現之前的史學流派，他給予了很高評價。朱謙之對孔德一系的評價高於黑格爾一系，而孔德史學最寶貴的地方在於重視人類心理，〔註 67〕這在蘭普雷希特這裡結出最新果實，這是朱謙之對蘭普雷希特分外看重的原因。〔註 68〕雖然與舊史家中相比，朱謙之相對看重蘭普雷希特，但是當時朱謙之最心儀還不是他們這一支，而是以杜里舒代表的新生機主義史學。〔註 69〕

然而朱謙之又是何時從新生機主義轉向後來的現代史學運動的呢？這又與國內大環境及他個人的人生軌跡有關。1929 年，朱謙之獲中央研究院資助赴日本進修兩年，潛心於歷史哲學的研究，直到 1931 年才歸國出任暨南大學教授。而中研院社科所給朱謙之出的研究題目「社會史觀與唯物史觀比較」可能是他思想轉向的主要原因。那麼究竟是中研院社科所的誰出了這個題目呢？

據朱紫薇研究，朱謙之當時掛在中研院社科所法制組，因爲中研院社會科學研究所初設法制、經濟、社會、民族學四組。王雲五爲法制組主任，徐朝陽，徐白奇，余敦和、徐公肅爲專任研究員。周鯁生，王世杰，胡長清，朱情牽等爲特約研究員。〔註 70〕而據朱謙之回憶，當時他爲著避日本人耳目，改用「朱情牽」爲別名，〔註 71〕所以朱謙之名義上歸王雲五的法制組管。然而實際上，朱謙之的研究題目「社會史觀與唯物史觀比較」似乎與法制組毫不相關。更合理的解釋可能是，這個題目是由當時社科所副所長陳翰笙出的，只是掛名在法制組，因爲當時蔡元培全權委託陳翰笙負責社科所。〔註 72〕

〔註 67〕朱謙之：《朱謙之文集》第 1 卷，福建教育出版社，2002 年，第 78 頁。
〔註 68〕朱謙之：《朱謙之文集》第 5 卷，福建教育出版社，2002 年，第 22～23 頁。
〔註 69〕朱謙之：《朱謙之文集》第 5 卷，福建教育出版社，2002 年，第 24 頁。
〔註 70〕陳紫薇：《中央研究院社會研究所探究》，華東師範大學碩士論文，2009 年，第 3 頁。
〔註 71〕朱謙之：《朱謙之文集》第 1 卷，福建教育出版社，2002 年，第 70 頁。
〔註 72〕陳翰笙著；汪熙，楊小佛主編：《陳翰笙文集》，復旦大學出版社，1985 年，第 452～453 頁。

陳翰笙是當時北大史學系的教授，然而同時也是中共方面的學者，他讓研究過歷史哲學的朱謙之討論這個題目，眞實的目的可能是在大革命失敗後，國民黨破壞孫中山聯共政策的大背景下，通過學術討論的迂迴方式，使知識分子、政治家乃至公眾重新注意孫中山民生史觀與唯物史觀的淵源關係，從輿論上對國民黨的反共政策進行牽制。因爲孫中山曾向公眾提到過，自己的民生史觀受到美國社會學家莫利斯威廉提出的社會史觀的影響，而莫利斯威廉又自稱受馬克思影響。然而出題人的意圖與朱謙之本人的意向顯然相悖。因爲朱謙之早在《歷史哲學》中便已貶低唯物史觀而推崇孔德的社會學。所以中研院的題目反而進一步刺激朱謙之強化了他早年的這種傾向，並將其與現實聯繫起來。然而這個題目也使朱謙之逐漸淡化早年對新生機主義的興趣，全力發展他對孔德一系史學的研究。當然還有另一種可能，那就是出題人不是陳翰笙，那麼這個題目可能只是中研院在國民黨清共之後，研究和宣傳三民主義與馬克思主義的不同之處。

朱謙之歸國後的思想變化都體現在他的《歷史哲學大綱》一書中。1931年歸國後任暨南大學教授。他在暨大主編《歷史哲學》叢書，並爲叢書撰寫了《歷史哲學大綱》。在書中他首先正式爲唯物史觀和社會史觀下了定義，並繼續貶低馬克思而抬高孔德。〔註73〕

此外，在新書中，朱謙之對蘭普雷希特的研究顯然更加深入，他甚至研究了蘭普雷希特啓發朱希祖進行改革的那本《近代歷史學》。〔註74〕朱謙之也引用了朱希祖在《新史學》序中所引的那段話，兩人都對同一段話極其重視，這似乎也預示著朱謙之開始轉向朱希祖改革的思路。朱謙之已經注意到當年蔡元培進入的世界史研究所，朱謙之對蘭普雷希特將自己的史學方法向世界其他文明研究推廣的活動評價極高，似乎也暗示了他本人對這項事業的興趣。在這裡朱謙之與北大史學系改革的思想源頭已經相遇了。〔註75〕

與此相對的是，朱謙之對早年熱衷的新生機主義的評價開始趨向保守，論述篇幅相比社會史觀已經小得多。對於新生機主義的代表杜里舒，朱謙之一方面還是給予相對較高的評價，對此他提到：「然而眞正以新生機主義解釋歷史者，卻不能不推到現代以實驗海膽（Seeigeleier）著名的 Hans Driesch。

〔註73〕朱謙之：《朱謙之文集》第5卷，福建教育出版社，2002年，第202頁。
〔註74〕朱謙之：《朱謙之文集》第5卷，福建教育出版社，2002年，第218頁。
〔註75〕朱謙之：《朱謙之文集》第5卷，福建教育出版社，2002年，第219～220頁。

他實在給我許多的教訓，使我知道歷史之意義，應該從生物學之進化論的解釋。」〔註 76〕但是此時朱謙之更多地是指出杜里舒的不足。〔註 77〕

那麼究竟是什麼導致朱謙之的思想出現了這麼大的變化？答案還是要回到中研院為他出的題目上來。如果出題人是陳翰笙的假設成立的話，朱謙之對這個題目的理解雖然意向與出題人相反，但是他顯然通過研究已經認識到這個題目的現實背景，那就是社會史觀與民生史觀的聯繫。出於原先就對唯物史觀的反感，朱謙之將對孔德一系的史學歸屬到社會史觀名義下，而與孫中山民生史觀聯繫起來，這樣他就將早年的學術傾向與現實進一步結合，突出孔德一系史學相對於唯物史觀的優越性。在「社會史觀論者對唯物史觀的批評」一節中，朱謙之提到了社會史觀與民生史觀的聯繫，他首先提到了啓發孫中山提出民生史觀的美國學者，〔註 78〕關於美國學者的這本書與孫中山民生史觀的聯繫，朱謙之在這裡也進行了解釋。〔註 79〕之後朱謙之就正式將孫中山民生史觀，提升到其是社會史觀最新發展的位置上來。〔註 80〕

綜上所述，留學歸來後朱謙之對新生機主義的評價沒有明顯變化，如果假設成立的話，中研院陳翰笙布置的課題可能使其重心偏向社會史觀，朱謙之認識到社會史觀與孫中山之間關係，高度評價孫中山，甚至認為他也是新生機主義者，當時社會氛圍對社會史觀的關心，明顯使朱謙之把研究與實踐的重心移到了社會史觀上。當然朱謙之也可能認識到中國在歷史的社會科學階段發展尚不穩固，要談新生機主義明顯太過超前，如果要進入實踐層面，在高校進行某種現代史學運動，必須把重心放在更基礎的史學社會科學化上。在這裡，唯物史觀的反向刺激與學院派對新史學派的介紹共同起了作用，尤其是朱謙之留學前的《歷史哲學》，能從孔德梳理到蘭普雷希特為代表的新史學派這一系，與何炳松等學院派的介紹分不開關係。這樣來看的話，朱謙之的「現代史學運動」理念與北大史學系的兩位同人陳翰笙和何炳松也有著間接的關係，一為唯物史觀派的代表，一為宣傳美國新史學的先驅。

〔註 76〕朱謙之：《朱謙之文集》第 5 卷，福建教育出版社，2002 年，第 257 頁。

〔註 77〕朱謙之：《朱謙之文集》第 5 卷，福建教育出版社，2002 年，第 259 頁。

〔註 78〕孫中山曾提到美國一位馬克思的信徒威廉氏認為馬克思以物質為歷史的重心是不對的，社會問題尤其是生存問題才最重要，而孫中山認為自己重視的民生問題就是生存問題。見孫中山著：《孫中山文選》，九州出版社，2012 年，第 141 頁。

〔註 79〕朱謙之：《朱謙之文集》第 5 卷，福建教育出版社，2002 年，第 228 頁。

〔註 80〕朱謙之：《朱謙之文集》第 5 卷，福建教育出版社，2002 年，第 227 頁。

如果從深層次來看，新史學在 20 年代的復興有兩支力量的推動，即唯物史觀的刺激和歐美留學生歸國，一爲現實刺激，一爲學院勢力。朱謙之受現實中唯物史觀和民生史觀的論爭的刺激而注意到社會史觀，但他直接間接地仍要從學院派帶回來的知識裏尋找資源，朱希祖、何炳松等人對蘭普雷希特及新史學派的介紹，成爲朱謙之轉向後推動現代史學運動的學術資源。

第三章　北大史學社會科學化改革的終結

3.1 改革末期的危機事件——重新檢視驅逐朱希祖的學潮

北大史學系改革從開始以來並不是沒有批評者，這些批評也促使朱希祖逐漸調整改革方向。其實早在改革之初，朱希祖就開始了妥協，他曾在北大史學會的成立會上已經開始注意社會科學課程之外的史學專門研究，但此時他仍只是將其放在課外的史學會中，而非課程計劃中。〔註1〕由上可見朱希祖而到了 1926 下半年，朱希祖甚至將他最重視的社會心理學降爲選修，〔註2〕這說明改革中最有特色也是極爲超前的部分遇到了阻礙，朱希祖進一步作出妥協。

如果是上述調整還屬於小打小鬧的話，到北伐後北大復校時，朱希祖才眞正開始大幅調整改革內容。之前朱希祖還將自動專精研究放到課外，此時則是將其放回課程內，這可以說是改革大方向上的調整。〔註3〕查閱 1930 年北大公佈的《史學系課程指導書（十九年至二十年度）》，其中規定：「政治學、

〔註 1〕朱希祖：《朱逷先教授在北大史學會成立會的演說》，《北京大學日刊》，1922 年 11 月 24 日。

〔註 2〕《史學系課程指導書（十五年至十六年度）》，《北京大學日刊》，1927 年 1 月 12 日。

〔註 3〕朱元曙，朱樂川撰：《朱希祖先生年譜長編》，中華書局，2013 年，第 319 頁。

經濟學、社會學，爲史學之基本科學；中國通史、西洋通史、東洋通史，爲初學史學者得到全部人類有系統的史學概念而設；此六種課程，必須於一二年級先行學習。」〔註 4〕從這裡可以看出朱希祖在改革後期開始壓縮社會科學必修科目，只保留政治學、經濟學、社會學三科。

與對社會科學課程的縮減相伴的是對專精研究的強化。當時史學系課程指導書規定：「中國分代史研究，隨教員常治之史，選擇其一，共同研究。例如甲教員常治漢代史或唐代史，乙教員常治宋代史或元代史，丙教員常治明代史或清代史，則三四年級生選擇其一史，專攻兩年，將研究成果報告，方爲畢業」。〔註 5〕對於研究題目，課程指導書更是強調越細化越好，如「將某代史歷史的地理，並其時代之政治、經濟、學術、風俗及其他一切文化，分類研究，各擇其一類，撰成有系統的論文。」〔註 6〕

不只是強調專精研究，朱希祖此時還更加重視起史料處理方法的學習，在課程指導書中規定：「 1、將某代史句讀一過，以表明讀完此史； 2、將某代史撰述源流及後人重修或考訂之歷史，編成報告；3、將某代史有關係之參考書，及中外雜誌上對於某代史之著述，編成一目。」〔註 7〕關於上述調整的目的，朱希祖作出了更深的解釋，他說：「希望本系同學於初入系時，必先確定將來爲歷史著作家，抑爲歷史哲學家，如欲爲歷史著作家則於歷史文藝，必先從事研究，將來擬特設歷史文藝一課，以資實習，庶幾著述國史，翻譯外史，文理密察，足以行遠；如欲爲歷史哲學家，則不必爲專門史之研究，於普通歷史外，須從事社會科學及哲學，博習深思，經緯萬有，著書立說，指導人類，蔚爲史學正宗，此皆希祖之所深望也。」〔註 8〕在這裡，朱希祖顯然是認識到過去的課程可能偏於歷史哲學家的培養，不利於歷史著作家的培養，現在重視專門史，平衡社會科學與專門史學的關係。但此時的改革仍然是兩項並重，自由選擇，而非專重史學專門研究，

〔註 4〕《史學系課程指導書（十九年至二十年度）》，《北京大學日刊》，1930 年 10 月 16 日。

〔註 5〕《史學系課程指導書（十九年至二十年度）》，《北京大學日刊》，1930 年 10 月 16 日。

〔註 6〕《史學系課程指導書（十九年至二十年度）》，《北京大學日刊》，1930 年 10 月 16 日。

〔註 7〕《史學系課程指導書（十九年至二十年度）》，《北京大學日刊》，1930 年 10 月 16 日。

〔註 8〕朱元曙，朱樂川撰：《朱希祖先生年譜長編》，中華書局，2013 年，第 306 頁。

然而正在朱希祖著手開展調整的前後，他就迎來一連串針對他的學潮運動。1929 年 7 月 31 日，《河北民國日報》登載所謂「北京大學學生會暑期委員會 7 月 30 日會議的十項決議」，其中第三項爲：「朱、馬二教授，把持校務，黑幕重重，除由本會直接警告外，請學校當局嚴加取締。」〔註 9〕在這裡，「朱」指朱希祖，「馬」指馬裕藻。而在 7 月 31 日當天，朱希祖就向北大代理校長陳百年遞交辭職函。〔註 10〕8 月 3 日，代校長陳百年分別回函挽留朱希祖及馬裕藻。〔註 11〕可能部分因爲此事，陳大齊甚至還向教育部部長蔣夢麟表示辭職之意。9 月 16 日，南京國民政府發佈命令，任命蔡元培爲北京大學校長，未到任之前仍由陳百年代理。〔註 12〕然而一波未平一波又起，就在北大校長之職塵埃落定之時，北大史學系卻發生重大變故。在同年 12 月 4 日國民政府發佈命令由蔣夢麟任北京大學校長之後幾天，〔註 13〕12 月 7 日，北大出現學生匿名傳單《北京大學史學系全體學生驅逐主任朱希祖宣言》。12 月 8 日，朱希祖再次致函北大代校長陳百年，堅請辭職。〔註 14〕這次驅朱運動導致朱希祖最終離開北大。

接下來我們就來分析一下這篇宣言，宣言稱：「謹將朱希祖的無學無識種種專斷把持及嫉賢妒能的行爲分列於左」，在這裡，我們也將朱希祖的回應相對列出，〔註 15〕一條條分析其中誰是誰非。

驅朱宣言羅列的第一條罪狀是：朱希祖不懂史學的新方法，沒發表過稍有價值的著作。〔註 16〕對此，朱希祖作出回應，他爲自己的代表作《史學概論》講義的價值進行辯護，朱希祖十分得意於自己在此書中運用蘭普雷希特

〔註 9〕《北京大學學生會暑期委員會 7 月 30 日會議十項決議》，《河北民國日報》，1929 年 7 月 31 日。轉引自朱元曙，朱樂川撰：《朱希祖先生年譜長編》，中華書局，2013 年，第 297 頁。

〔註 10〕《史學系主任致院長函》，《北京大學日刊》，1929 年 8 月 5 日。

〔註 11〕《院長復史學系主任函》，《北京大學日刊》，1929 年 8 月 5 日。

〔註 12〕《國民政府令》，收入王學珍、郭建榮主編：《北京大學史料》第二卷上冊，第 275 頁。

〔註 13〕《國民政府令》，收入王學珍、郭建榮主編：《北京大學史料》第二卷上冊，第 280 頁。

〔註 14〕《史學系主任朱希祖先生致陳代校長書》，《北京大學日刊》，1929 年 12 月 9 日。

〔註 15〕《辯駁〈北京大學史學系全體學生驅逐主任朱希祖宣言〉》，《北京大學日刊》，1930 年 12 月 9 日。

〔註 16〕朱元曙，朱樂川撰：《朱希祖先生年譜長編》，中華書局，2013 年，第 322 頁。

的理論於中國史學之上。而對於學生批評其民國史教材抄襲日本人的問題，朱希祖也作出回應說，他在書中多運用社會科學，絕未抄襲。〔註17〕

由上可見，學生對其不學無術或照搬照抄的批評並不屬實，一是不能領悟其課程改革趨於引導學生自主研究而非被動吸收的大方向，二是沒有注意其對社會科學的應用。當然朱希祖並非學界泰斗，他個人的學術成果與同輩的很多學者相比顯然遜色不少，但是作爲北大史學系主任，他對史學基本趨勢的很多判斷是正確的，學生對其根本不懂現代史學的批評顯然是失實的。另一方面，這次驅朱運動的主要原因是否就是朱希祖的學識問題也是存疑的，因爲在接下來的分析中就會看出，宣言的主要篇幅並不是在討論這個問題。

驅朱宣言羅列的第二條罪狀則是：朱希祖擅變課程。〔註18〕關於朱希祖擅自改動學生所謂李大釗陳翰笙制定的課程，這一點顯然是無稽之談，本文前面已經論證過朱希祖制定課程的前後過程，朱希祖的回應大致相同。然而有趣的是朱希祖抓住了宣言最要害的破綻，那就是宣言極其推崇李大釗和陳翰笙，以至到了歪曲事實的地步。對此，朱希祖說作宣言書者「心目中所最崇拜者僅有李守常、陳翰笙，故不覺歸美於二人」。〔註19〕朱希祖指出的這點對於後面我們分析宣言的始作俑者極其重要。

驅朱宣言羅列的第三條罪狀，也是篇幅最多，最重點的一條，那就是：「朱希祖的嫉賢妒能排擠教授……於原有教授用卑鄙手段排出，新的教授又不聘請……」。〔註20〕宣言將其認爲被排擠或應聘去卻不聘請的學者一一列出，其中包括陳翰笙、陳漢章、何炳松、楊棟林、徐曦、陳垣、顧頡剛、陳寅恪。而在其中，關於陳翰笙和朱希祖矛盾的篇幅最多，是這部分的重頭戲，我們將會在後文中詳細分析。

綜合驅朱宣言的三條罪狀來說，宣言幾乎都不是在批評朱希祖的改革主旨——史學社會科學化，對其執行方面的批評多數也出於誤解，主要的批評還是針對人事方面，即請人問題。而學生並不瞭解北大史學系在北伐後地位下降，無力集全國史學精英於一系，如朱希祖所說：「且今年暑假正在戰亂之

〔註17〕朱元曙，朱樂川撰：《朱希祖先生年譜長編》，中華書局，2013年，第324頁。
〔註18〕朱元曙，朱樂川撰：《朱希祖先生年譜長編》，中華書局，2013年，第322頁。
〔註19〕朱元曙，朱樂川撰：《朱希祖先生年譜長編》，中華書局，2013年，第325頁。
〔註20〕朱元曙，朱樂川撰：《朱希祖先生年譜長編》，中華書局，2013年，第322頁。

時，學校經費無著，即有新教授亦多他適，不易聘請，此等情形同學豈忘之耶！」〔註 21〕陳垣、陳寅恪和蔣廷黻皆是另有高就，分身乏術，傅斯年改革後也還是這樣。陳翰笙也坐穩中研院，也沒回北大。而且就宣言內容來說，後來執掌北大史學系的傅斯年所進行的改革也沒一項對準學生的主要訴求。傅斯年的改革並非對學生反映的管理問題對症下藥，而是自己搞自己的一套。所以在某種程度上，朱希祖的改革談不上失敗，只是學生要求高過朱希祖的能力，而傅斯年也沒有滿足學生的要求，所以也談不上絕對成功。

那麼既然驅朱宣言幾乎都不是在批評史學社會科學化的改革主旨，那麼關於傅斯年是倒朱的主要推手的說法就有些問題了。〔註 22〕因爲驅朱宣言甚至聲明，本系課程以一年級必修社會科學，社會心理學和人類學等作爲研究史學的基礎原是非常完善的。尤其是這次學潮一直僵持到第二年 6 月，最後由校史學會議決出四項議案，作爲復課條件向時任校長蔣夢麟交涉，其中包括聘請陳翰笙和陶希聖擔任教授，以及開設中國社會史、唯物史觀研究、歷史哲學、中國文化史、西洋文化史、考古學等課程。〔註 23〕從復課條件上可以看出，學生對史學社會科學化的理念並不反對，反而還很支持，如聘請從事社會經濟史研究的陳翰笙和陶希聖擔任教授，課程中開設中國社會史和唯物史觀研究等。在驅朱宣言中，學生更是站在維護史學社會科學化課程計劃的立場上，這些都與傅斯年的旨趣大相徑庭。另一方面，也有證據顯示傅斯年在驅朱運動中幫助了朱希祖。1931 年 4 月 27 日，傅斯年在致朱希祖的信件中提到：「而北大史學系學生表示悔過，其次日，先生即回北大，改辭職爲請假，然斯年以願贊助先生之故，面陳夢麟

〔註 21〕朱元曙，朱樂川撰：《朱希祖先生年譜長編》，中華書局，2013 年，第 326 頁。

〔註 22〕何茲全曾回憶說：「我當時很年輕，具體情況也不清楚，但有一次傅先生與我聊天時曾説起這事，説他鼓動學生趕走了朱希祖……傅先生談起這件事時很得意。」見周文玖：《朱希祖與中國現代史學體系的建立——以他與北京大學的關係爲考察中心》，收入氏著《因革之辨 關於歷史本體、史學、史家的探討》，北京師範大學出版社，2010 年，第 234 頁。現在看來，傅斯年可能鼓動過學生驅朱，但驅朱運動很可能不是傅斯年一人主導的，而是另有其他因素。

〔註 23〕《北大史學系要求聘教授 該系一年級之議案》（1931 年 6 月 21 日）《北平晨報》，引自王學珍等編《北京大學史料》第 2 卷第 2 冊，北京大學出版社 2000 年版，第 1725～1726 頁。

先生云暫時把薪水當作退職金看何如。學生惡風不可長，準辭之事，或可遷巡幾月再準云云。」〔註24〕

那麼驅朱運動究竟有沒有幕後推手呢？驅朱運動是不是只是一場師生誤會？答案可能並沒有那麼簡單。有相關人士謝興堯在《紅樓一角》一文中曾提到：

> ……自民十六革軍北伐，學界風潮尤爲澎湃，新留學回來的，誰都懂得政治手腕，於是設法煽動學生中的有力分子，以群眾爲後盾，向學校說話，名爲請求，實即要脅。……我還記得，似乎有位研究農村經濟的新人物（編者按：指陳翰笙），也曾在北大教過書，這時忽又想回北大作教授，學校當局大概是恐怕他戴的紅帽子，將來惹起麻煩。沒想到這位先生便以學生爲鬥爭工具，來個「霸王硬上弓」，說朱希祖（史學系主任）、馬裕藻二人把持校政，不肯聘請新人。中間也曾貼標話，鬧風潮，末了這位先生還是進來了。……後來大鬍子（朱）之離開北大，或於此不無關係，一個大時代下，這種現象，本來毫無足異也。〔註25〕

那麼這種說法是否有據呢？在驅朱宣言中似乎有部分端倪。因爲驅朱宣言的重點其實是在朱希祖擅變課程和排擠人才方面，而這兩方面都與陳翰笙有著極大關係。宣言認爲本系課程原爲李大釗和陳翰笙等在校時所釐定，原是非常完善的。朱希祖就此指出：「而作該項宣言書者，既不知其弊之所在，而心目中所最崇拜者僅有李守常、陳翰笙，故不覺歸美於二人。」〔註26〕可見朱希祖似乎已經意識到，驅朱學生潛意識中對李大釗陳翰笙爲首的左派人物十分偏愛。而在朱希祖排擠人才一段，陳翰笙又是其中著墨最多的部分。宣言提到陳翰笙是同學最歡迎的教授，此話反映出寫信人的左傾立場，其他老師皆不稱最歡迎。那麼陳翰笙因受朱希祖的排擠，憤而離校，這或許才是驅朱學生爆發的直接導火索，對此，宣言指出：

> 陳翰笙先生本來是同學最歡迎的教授，因受朱希祖的排擠，憤而離校。去年復校伊始，歡迎舊教授回校的聲浪高唱入雲，我們要

〔註24〕《1931年4月27日傅斯年致先生函》，王汎森，潘光哲，吳政上主編：《傅斯年遺箚》，中央研究院歷史語言研究所，2011年，第350～351頁。

〔註25〕謝興堯：《紅樓一角》，《子曰叢刊》第2輯，1948年6月，轉引自朱元曙，朱樂川撰：《朱希祖先生年譜長編》，中華書局，2013年，第300頁。

〔註26〕朱元曙，朱樂川撰：《朱希祖先生年譜長編》，中華書局，2013年，第325頁。

求朱希祖請陳先生回校，而朱希祖則竭力詆蠛，後史學系與經濟系在二院開會歡迎，陳先生以不願和朱希祖共事之故，設種種口實不肯擔任史學系功課，僅在經濟系擔任農業經濟兩小時，而朱希祖則散佈陳某有史學系主任野心的流言，傳入陳先生耳鼓，於是陳先生對於兩小時的農業經濟，也不來上課。〔註27〕

對此朱希祖回應說：

陳翰笙先生由高仁山介紹而來，即因高仁山事案而去。蓋陳高二先生本系同居，又同辦藝文中學，高被逮，而陳先生遠避他方，故本系教課不終局，而考試成績至今未給，何嘗由余排擠？至云余詆蠛陳先生，則所詆蠛者何事，質證者何人？不可隨便亂說。至陳先生所任經濟系農業經濟兩小時，聽說僅教兩點鐘即不來，未必因流言而去。蓋陳先生第一年在史學系亦不終局，忽傳失蹤者數月，同學時來要求請人代授其課；第二年亦不終局，忽而隱避不見，此時尚無此種流言也。以此證彼，則經濟系之不終局，決非因流言而去明矣！至謂陳先生言「不願與朱希祖共事」，此言之有無與否，則吾不得而知矣。〔註28〕

關於朱希祖與陳翰笙的矛盾，陳翰笙方面終其一生都認定是朱希祖惡意排擠，他在晚年回憶錄還提到：

……北大教師當時分爲兩派，一派是英、美、德留學生，以胡適爲首，另一派是日，法留學生，領頭的是李石曾。這兩派明爭暗鬥，互不相容。歷史系的系主任朱希祖是日法派的，他對我這個從歐美回來的人很不喜歡，想把我排擠走，要他的留日朋友代替我。不久，他就想了一個自以爲聰明的辦法。他僞造了一張名單，共有十幾個人名，都是聽我課的學生，以這些人的名義寫了一封短信，說：「陳翰笙是南方口音，我們聽不懂，他講課的內容也不適合，不配教授我們。」他將這份東西拿到學校評議會上，想藉此把我擠走。代理校長蔣夢麟將這個信拿給教育系副主任高仁山看了。高仁山是我的朋友，立即來找我告之，他說：「你不是同王世杰在搞《現代評

〔註27〕朱元曙，朱樂川撰：《朱希祖先生年譜長編》，中華書局，2013年，第323頁。

〔註28〕朱元曙，朱樂川撰：《朱希祖先生年譜長編》，中華書局，2013年，第327～328頁。

論》嗎？你可去問問他。」我去問王世杰，他說：「這事是眞是假我不知道，據我看是假的，如果去問問簽名的人是可以搞清楚的，但那樣做就會把朱希祖搞臭了 ……〔註 29〕

從中可見，陳翰笙後來從未向學生核實過短信內容。朱希祖在回應中指出陳翰笙「因高仁山事案遠避他方，而教課不終局，第一年在史學系不終局，忽傳失蹤者數月；第二年亦不終局，忽而隱避不見等等」〔註 30〕，對於陳翰笙這樣一個長期政治避難的革命人士來說，這些問題完全是客觀存在的，然而陳翰笙似乎都未顧及。另外，朱希祖在北伐後回顧北伐前系史時，還只談到何炳松、陳翰笙和李璜介紹歐美新史學的功績，說明他客觀上承認陳翰笙和自己改革方向相近；也可能是他認爲陳翰笙的國民黨身份在北伐後會發揮很大影響力，不得不承認他，不提自己和他的矛盾；也可能朱希祖並沒有刻意排除陳翰笙，只是陳翰笙上課確實存在一些問題，由朱希祖反映到學校，陳翰笙就認爲朱希祖想用自己的留日朋友，取代歐美留學的他，實際上陳翰笙根本沒調查過署名的學生，而且朱希祖對留學歐美的何炳松和李璜就很好，說不上他故意排擠歐美派留學生。

那麼接下來的一個問題就是：當時北大史學系有左翼學生嗎？答案是有，而且不少。查閱有關資料，我們會發現北大史學系 1930 年學運爆發時，比較確定的中共黨員或團員共有 8 名，黨員分別有文藝陶、戴匡平、白進彩、吳夢蘭、勞幹、郭小滄和王秀宜（王正朔），團員（也可能是黨員）則有王存學（1930 春入團，後入黨）。其中文藝陶是 1930 年上半年北大黨支部的宣傳幹事，郭小滄則是 1930 年 6 月～9 月北大黨支部的委員（幹事），戴匡平則曾任北大黨小組長，他們都屬於北大黨支部核心成員。〔註 31〕另外，考慮到陳翰笙與中共元老李大釗和高仁山的關係，如果聲援陳翰笙回北大確實是中共學生黨員所爲的話，那麼這可能不只是北大史學系黨員參與其中，北大黨支部的其他人也可能有所參與。

最後還有一點，驅朱運動在蔣夢麟出長北大後幾天，這也十分蹊蹺。

〔註 29〕陳翰笙著；任雪芳整理：《四個時代的我》，中國文史出版社，1988 年，第 28～29 頁。

〔註 30〕朱元曙，朱樂川撰：《朱希祖先生年譜長編》，中華書局，2013 年，第 327 頁。

〔註 31〕王效挺，黃文一主編：《戰鬥在北大的共產黨人——1920.10～1949.2 北大地下黨概況》，北京大學出版社，1991 年，第 52、57、59、62、70、79、80、85 頁。

結合《紅樓一角》一文，文章認爲共產黨運動北大學生會以讓陳翰笙回北大。該文說陳翰笙最終回了北大，但是實際沒有，如果說 1928 年驅逐朱馬時，陳翰笙剛剛回國，被王世杰排擠出中研院時還有這種可能。但是驅逐朱馬對象不止朱希祖，應該不是只爲了陳翰笙而動，而是出於新派和左派學生對較保守的章門弟子長期把持文史系的積怨，借助北伐後國民黨上臺的新形勢趁機爆發。有人認爲北伐後浙籍人士由於支持國民黨而受重用，但是國民黨肯定不希望章門弟子繼續把持北大，所以朱馬二人在北伐後進一步把持校務，更多的應該還是由於北大元老北伐後流離各地，所以朱馬自然得到倚重。而到 1930 年，陳翰笙早已有了中研院作根據地，人在上海南京，也沒可能回北大，所以此說錯誤。但是兩次學運都與新派和左派學生相關，而朱希祖與左翼領袖李大釗和陳翰笙直接相關，所以第二次學運更加針對朱希祖。學運對人事問題，尤其是對李大釗和陳翰笙的重視，說明其可能具有左翼屬性，不只是簡單的教學爭議。可能是新派對章門弟子把持的不滿與左翼對陳翰笙的力挺結合在一起，使朱希祖成了犧牲品。陳大齊爲此事辭職，國民政府就換蔡元培，但要他繼續代校長。而到 1929 年換蔣夢麟任校長，學運可能受上次事件的成果刺激而變本加厲，也可能是左傾學生趁蔡元培和陳大齊等老一輩退位，親國民黨的新生力量蔣夢麟上位，借機除掉朱希祖，但是沒想到蔣夢麟與傅斯年關係非同小可，最終讓傅斯年主導了史學系。

學運對朱希祖不滿的一個關鍵之處是課程繁重問題，這是因爲朱希祖爲了回應對他早期改革博而不專的批評，把一開始推給史學會課後進行的專精研究，如斷代史學習，重新壓進課內學習來，學生由於沒看清課表說幾種斷代史只用選修一種，就認爲自己吃不消。所以史學社會科學化反而不是批評對象，朱希祖想在社會科學化和斷代史專精研究之間尋求平衡，包羅萬象，這樣可能會帶來的沉重包袱才是招致批評的主要原因。然而傅斯年利用學運主導史學系後，卻廢除社會科學化內容，並排除左傾學者，這是與學運主張完全相反的。所以傅斯年可能有反朱情緒，也可能有鼓動學運的行爲，但驅逐朱希祖的學運主導者很可能不是傅斯年，他只是客觀上借助學運爲自己的企圖服務罷了。

3.2 改革終結的深層原因——朱希祖模式與傅斯年模式的比較

雖然沒有直接證據證明驅朱運動是傅斯年推動的，但是朱希祖辭職後，他實施的改革措施確實是被傅斯年的改革所取代了。

在傅斯年的主導下，北京大學史學系編寫了新的課程指導書，其中提出了大學史學教育的兩個重要要求，一是「嚴整的訓練」，而不是聚集一些不相干的雜貨，即所謂社會科學；〔註32〕二是「充分的工具」，即第一類是目錄學，第二類是各種語言。〔註33〕按照1931～1932年度的史學系課程指導書，與朱希祖時期的課程相比較，最明顯的變化就是不再開設政治學、經濟學、法律哲學、社會心理學、社會學等「史學應有之基本常識」科目。〔註34〕指導書的落款爲「暫代史學系主任蔣夢麟」，然而，蔣夢麟並非史學家，從指導書對直接處理史料和擴張研究工具兩點的強調來看，這應該是傅斯年的手筆。〔註35〕它所體現的精神，與傅斯年之前發表的《歷史語言研究所工作之旨趣》是一致的。〔註36〕由上可見，兩相對照，北大史學系的改革與傅斯年的主張極其類似，應該出自傅斯年手筆。

傅斯年之所以能在朱希祖之後控制北大史學系，這背後有不少政治和人事的原因。北伐後，蔣夢麟、胡適和傅斯年等爲代表的有留美經歷，又較親國民黨的學者在北大勢力日趨穩固，尤其是蔣夢麟作爲校長非常倚重胡適和傅斯年，甚至讓傅斯年暗中操控北大史學系。當時支持朱希祖的代理校長陳大齊調任考試院考選委員會副委員長，校長由蔣夢麟接任，並暫代史學系主

〔註32〕《國立北京大學史學系課程指導書（民國二十年至二十一年度）》，北京大學檔案館，BD1930014。轉引自尚小明著：《北大史學系早期發展史研究 1899～1937》，北京大學出版社，2010年，第192～193頁。

〔註33〕《國立北京大學史學系課程指導書（民國二十年至二十一年度）》，北京大學檔案館，BD1930014。轉引自尚小明著：《北大史學系早期發展史研究 1899～1937》，北京大學出版社，2010年，第193頁。

〔註34〕尚小明著：《北大史學系早期發展史研究 1899～1937》，北京大學出版社，2010年，第193頁。

〔註35〕有論者指出，朱希祖下臺後，雖然北大史學系名義上由蔣夢麟代管，但是實際由傅斯年掌管，參見郭衛東，牛大勇主編：《北京大學歷史學系簡史》，北京大學歷史學系，2004年，第33、68頁。尚小明著：《北大史學系早期發展史研究 1899～1937》，北京大學出版社，2010年，第47頁。

〔註36〕傅斯年：《歷史語言研究所工作之旨趣》，收入歐陽哲生主編：《傅斯年全集》第3卷，湖南教育出版社年，2003年，第5～7頁。

任之職。與蔣關係甚密的傅斯年實則幕後掌控史學系，1931 年 10 月陳受頤接替蔣夢麟擔任系主任，情形仍是如此。關於傅斯年暗中操控北大史學系，由郭衛東、牛大勇編著的《北京大學歷史系簡史》一書以傅樂成的《傅孟眞先生年譜》所收兩例材料證實，一是蔣夢麟說九一八後「我的『參謀』就是適之和孟眞兩位。事無大小，就商於兩位。他們兩位代北大請到了好多位國內著名的教授，北大在北伐成功以後之復興，他們兩位的功勞，實在是太大了」。〔註 37〕二是陶希聖說「民國二十年，孟眞在北平，擔任中央研究院歷史語言研究所所長，同時主持北京大學史學系。」〔註 38〕一位是當時校長，一位是當時歷史系的教師，兩位當事人的回憶，應該基本能證實傅斯年暗中主持北大歷史系的說法並非空穴來風。

當然如果我們只把朱希祖改革的終結歸之於一連串人事因素，那麼還是不能充分瞭解改革終結背後的深層原因。朱希祖改革的終結，通過上一節的論證可以證明，並不是過去認爲的改革主旨的完全破產，然而它的終結確實又是兩種史學發展方向之間衝突的結果。這種衝突正是以朱希祖爲代表的史學社會科學化方向和以傅斯年爲代表的「史學自然科學化」方向之間的碰撞。這裡提到的「史學自然科學化」並不是一種常見的說法，然而用這個詞，比起「考據學派」，「蘭克史學」甚至「實證史學」來說，更契合傅斯年最常使用的表達方式。

朱希祖於 1928 年 11 月 19 號在《益世報學術週刊》上發表《畸形的史學》一文，這篇文章實際上把他和傅斯年主張上的差異和盤托出，文章指出：

> 史學的範圍極廣，有歷史本身的學問，有歷史輔助的學問。……
>
> 歷史的輔助學問，範圍雖甚廣大，實際上與歷史最有密切關係的，也不過幾種，現把它列在下面：
>
> 甲、歷史外部材料上關係的學科：
>
> ……
>
> 乙、歷史内部組織上關係的學科：

〔註 37〕傅樂成：《傅孟眞先生年譜》，臺北聯經事業出版社，1980 年，第 285～286 頁。郭衛東，牛大勇主編：《北京大學歷史學系簡史》，北京大學歷史學系，2004 年，第 68 頁。

〔註 38〕傅樂成：《傅孟眞先生年譜》，臺北聯經事業出版社，1980 年，第 285~286 頁。郭衛東，牛大勇主編：《北京大學歷史學系簡史》，北京大學歷史學系，2004 年，第 68 頁。

……

以上十五種，均爲歷史最重要的輔助學科。無甲種學科，則歷史材料，無普遍及眞確的價值；無乙種材料，則歷史組織，無棄取表現的能力，結果毫無發展的可能。

歷史本身的學問，不外乎方法和記述。

方法可分爲二步：（甲）史材之搜集和考訂。……非應用上文甲種各學科不能達到這種目的（乙）史材的棄取和表現。……非應用上文乙種各學科，那麼歷史的裏面不能解剖，不能認識……〔註 39〕

在這裡可以看出，朱希祖關於史學方法分爲甲乙兩步的理念，實際上是針對傅斯年關於史學即史料學，社會科學屬於不相關的雜貨而非歷史輔助工具的說法，文章接下來還提到點名了傅斯年主導的中山大學語言歷史學系和中研院史語所，二者認爲語言學和歷史學有密切關係。但是這會導致史學爲語言學的畸形發展。〔註 40〕

朱希祖在這裡應該是，因爲二者將語言學與歷史學並列。

除了在史學研究方法上認識不同，朱希祖和傅斯年對史學系的定位也完全不同。傅斯年認爲史學系應重研究而非教育，所以作爲一種研究工作，歷史學不是著史。1928 年傅斯年在《歷史語言研究所工作之旨趣》中就聲稱「歷史學不是著史」，他反對疏通，主張證而不疏，並且還說「我們不做或者反對所謂普及那一行中的工作。」〔註 41〕傅斯年是希望中國的史學和相關的語言學在一般教育中逐漸淡出。然而朱希祖後來認爲，史學系要爲歷史著作家和歷史哲學家都提供一種基礎教育。他提出：「希望本系同學於初入系時，必先確定將來爲歷史著作家，抑爲歷史哲學家，如欲爲歷史著作家則於歷史文藝，必先從事研究，將來擬特設歷史文藝一課……如欲爲歷史哲學家，則不必爲專門史之研究，於普通歷史外，須從事社會科學及哲學」。〔註 42〕

然而傅斯年與朱希祖最核心的衝突，還是在爭論史學究竟是一種自然科學還是社會科學。傅斯年十分執著於把史學建設成一種自然科學性質的學

〔註 39〕朱元曙，朱樂川撰：《朱希祖先生年譜長編》，中華書局，2013 年，第 271～273 頁。

〔註 40〕朱元曙，朱樂川撰：《朱希祖先生年譜長編》，中華書局，2013 年，第 274 頁。

〔註 41〕傅斯年：《歷史語言研究所工作之旨趣》，收入歐陽哲生主編：《傅斯年全集》第 3 卷，湖南教育出版社年，2003 年，第 3、9、10 頁。

〔註 42〕朱元曙，朱樂川撰：《朱希祖先生年譜長編》，中華書局，2013 年，第 306 頁。

科。他認爲:「近代的歷史學只是史料學,利用自然科學供給我們的一切工具,整理一切可逢著的史料,所以近代史學所達到的範域,自地質學以至目下新聞紙,而史學外的達爾文論正是歷史方法之大成。」〔註43〕傅斯年還認爲:「要把歷史學語言學建設得和生物學地質學等同樣,乃是我們的同志!」〔註44〕在傅斯年的認識中,相對於社會科學,史學更接近於自然科學,這直接體現在他反對中研院經社所與史語所合併一事上。當時中央研究院動議將歷史語言研究所與社會科學研究所合併爲歷史語言社會研究所。兩所合併一事遭到傅斯年的堅決反對。在致蔡元培、楊杏佛的信中,傅氏認爲:「就若干點上說,史語所工作之近於地質及自然歷史處,遠比與現在經濟、社會爲近。」〔註45〕合併事最終作罷。

然而傅斯年並非一開始就趨向這種觀點,早在五四前後,隨著西方學說的進一步輸入,重視社會科學對史學的作用,這種觀念在當時青年中已經有一定的思想基礎,即使是後來對社會科學十分輕視的傅斯年,當時在《新潮》發表《清代學問的門徑書幾種》一文中,都還宣傳「中國古代的社會學正待發明」〔註46〕。所以考察傅斯年觀念的變化,也可以使我們瞭解時人對史學性質的認識在時代大背景中的波折變化

在北大讀書時的傅斯年,註冊在國文門,但喜歡旁聽其他門的課程,受新思潮的鼓動,對社會科學尚不排斥,寫了《中國歷史分期之研究》的長文,這與他後來治史的路徑差異很大。〔註47〕然而當時傅斯年和蔡元培關於哲學系隸屬問題的討論,已經折射出傅斯年的學科理念,與蔡元培和朱希祖等人已有相當距離,爲後來傅斯年廢除朱希祖的改革埋下伏筆。當時傅斯年給蔡元培寫了一封長信,名爲《論哲學門隸屬文科之流弊》。〔註48〕蔡先生在傅函

〔註43〕傅斯年:《歷史語言研究所工作之旨趣》,收入歐陽哲生主編:《傅斯年全集》第3卷,湖南教育出版社年,2003年,第3頁。

〔註44〕傅斯年:《歷史語言研究所工作之旨趣》,收入歐陽哲生主編:《傅斯年全集》第3卷,湖南教育出版社年,2003年,第8、12頁。

〔註45〕《傅斯年致蔡元培,楊銓》(1933年2月21日),收入王汎森,潘光哲,吳政上主編:《傅斯年遺箚》第1卷,中央研究院歷史語言研究所,2011年,第459～460年。

〔註46〕黃振萍,李凌已編:《傅斯年學術文化隨筆》,中國青年出版社,2001年,第21頁。

〔註47〕《中國歷史分期之研究》,《北京大學日刊》,1918年4月17日。

〔註48〕高平叔撰著:《蔡元培年譜長編》第2卷,人民教育出版社,1999年,第116頁。

後寫了一段案語，發表於 10 月 8 日的《北京大學日刊》，〔註 49〕其中可見蔡元培的學科理念其實與傅斯年大相徑庭，這可以從蔡元培另一篇關於北大校旗的文章中看出來，〔註 50〕蔡元培兼容並包到了一定程度，連玄學都包容，相比傅斯年瞧不起哲學不夠自然科學來說，二者實在是相差太遠。

關於傅斯年爲什麼最終遠離社會科學，堅持史學自然科學化的定位，這可以從他本人的早年認識和留學經歷兩方面中找到答案。王汎森教授認爲，早在北大讀書時期，傅斯年就認爲清代考據學是中國學術中唯一充滿了科學精神和邏輯推理一個分支。另一方面傅斯年之所以後來堅持歷史學應摒除主觀成分，也是因爲傅斯年對宋明儒學、道家、佛教都很失望，所以他在理解中國人的精神世界時從不訴諸傳統道德哲學。在章士釗的影響下，傅斯年轉向心理學尋求解釋人類社會之道。傅斯年心裏正是帶著這些希望去英國學習心理學的，在倫敦大學這些年，他的主要目標是一方面摒棄模棱兩可、過於籠統和形而上學的中國思維方式，同時運用一些實驗的、觀察的和數理分析的方法探求人類思想的深層。他之所以被實驗心理學深深吸引，其基本原因也在於此，傅斯年希望運用實驗心理學探索集體心理。在王汎森教授的這些觀察之外，筆者還可以注意到傅斯年和朱希祖都受這樣一種觀點影響，即心理學是史學的基礎，但一個是實驗心理學，一個是社會心理學。可以確認有這樣幾種學術潮流對傅斯年在歐洲的學習有重要影響，即在人文研究中運用統計學、實證主義 、蘭克實證學派和比較語言學。傅斯年承認對他影響最大的是馬赫和皮爾森這樣的實證主義者。馬赫同傅斯年對清代考據學的興趣相結合。傅斯年的興趣後來開始轉向德國史學傳統，尤其是蘭克學派，但當他在柏林的時候，蘭克學派在德國已經不再處於主導地位，傅斯年選擇蘭克而不是別的歷史學家作爲主要榜樣，充分顯示出他傾向於追求一種客觀、科學、嚴密的史學。據考察，傅斯年的書籍主要集中於心理學、語言學、數學、化學、物理學、生物學、達爾文主義和歷史學，關於政治學、社會學的書籍非常少。〔註 51〕這也可見其相對於社會科學更重視自然科學。

〔註 49〕高平叔撰著：《蔡元培年譜長編》第 2 卷，人民教育出版社，1999 年，第 116 頁。

〔註 50〕新潮社：《蔡孑民先生言行錄》，收入沈雲龍主編：《近代中國史料叢刊》，文海出版社，1966 年，第 355～358 頁。

〔註 51〕王汎森著：《傅斯年：中國歷史與政治中的個體生命》，生活・讀書・新知三聯書店，2012 年，第 59～72 頁。

至此我們沿著傅斯年的人生軌跡，已經看到了早年傾向和留學經歷如何使其徹底轉向史學自然科學化。對此，學界也有人從不同的角度探討過類似問題。王晴佳教授認爲對史料進行謹慎的批判的史學，與對歷史的演變尋求解釋的史學在中國近代不同的階段互有消長，而前者在從北大國學門到中研院史語所的發展過程中日益趨於極端。〔註 52〕然而對於傅斯年和朱希祖代表的兩種模式之間衝突，桑兵教授則認爲其是專精的研究與普遍的教育之間的矛盾，即把社會科學化當做史學的社會職能，而非一種研究方式。〔註 53〕筆者與上述學者前輩的視角都有所不同，筆者是從史學在社會科學化和自然科學化之間定位的衝突來看這個問題的。那麼究竟是什麼因素導致了北大史學系在史學社會科學化改革後出現了轉向呢？這個問題也不能只從傅斯年個人意志來看，因爲他的意志背後也折射出時代大背景的變化。

在北伐結束後，新興社會科學運動的聲勢逐漸擴大，從君素發表的《1929年中國關於社會科學的翻譯界》中可以看到，當年社會科學翻譯作品就達到150 種以上。〔註 54〕然而弔詭的是，這時卻發生了史學社會科學化導向的學術機構改革的挫折，即朱希祖因北京大學史學系驅朱風潮而提出辭職。從復課條件上可以看出，學生對史學社會科學化的理念並不反對，反而還很支持。所以朱希祖改革的失敗不能和其史學社會科學化理念的失敗等同起來，這是從學生驅逐朱希祖的宣言中就可以明顯看出來的。另外，有論者認爲傅斯年主持北大史學系後，培養出的史學家數量大增。〔註 55〕其實這是因爲史語所提供了就業保障，這些史學家全部到史語所工作，而之前的北大國學門根本沒有這種力量。史語所的客觀保障自然使大量學生趨向傅斯年主觀引導的史學方向，這不是改革內容完全決定的，而且北大史學系初創時生源並不好，這與後期也不能相提並論。

史學社會科學化在民間的趨熱與在學院的趨冷形成了鮮明對比。從政治和人事上來說，這與北伐後蔣夢麟、胡適和傅斯年等有留美經歷又較親

〔註 52〕王晴佳：《論二十世紀中國史學的方向性轉折》，《中華文史論叢》第 62 輯，第 5～6 頁。

〔註 53〕桑兵著：《晚清民國的國學研究》，上海古籍出版社，2001 年，第 79 頁。

〔註 54〕君素：《1929 年中國關於社會科學的翻譯界》，《新思潮》，1929 年第 2、3 期合刊。

〔註 55〕尚小明著：《北大史學系早期發展史研究 1899～1937》，北京大學出版社，2010 年，第 118 頁。

國民黨的學者在北大勢力日趨穩固有關。蔣夢麟學教育學回國接替蔡元培主持北大，蔣與胡適師出同門，自然更將傾向胡傅二人主持北大文史。蔡元培相對包容，在中研院保護左傾的陳翰笙，在學制改革中傾向留法派，而非自己出身的德美派。然而蔡元培治下的北大文科兼容並包的狀況不斷被改變，開始是陳獨秀主導的國文系改革把守舊派及朱希祖趕到史學系，之後傅斯年又替代朱希祖，左派學者紛紛政治逃亡的情況下，北大文史學科逐步被胡適的人馬掌握，史學社會科學化改革被排除出最高學府。社會科學絕非當時中國所不能接受，民間社會科學研究方興未艾，只是由於政治和人事關係，社會科學派被排斥出學院，民間和學院形成對立，學院派被社會思潮孤立起來。

從學術方面來說，這要從國內史學與海外史學和漢學的互動談起。一方面，當時是國際漢學而非西方史學主流主導國內史學潮流，國際知名的漢學家主導西方資金對華學術援助，所以國際漢學的實證傾向左右了國內史學。胡適的留美背景與美國庚款相結合，進一步加強了這一趨勢。然而這還只是淺層的因素。如果我們探討學術理念深層的原因的話，爲何新一代的歐美留學派，如傅斯年和陳寅恪等人，比起上一代歐美留學派，如何炳松、李璜和陳翰笙等人，對於社會科學反而更加排斥了呢？出現這種現象的原因似乎在於：新一代留學派如傅斯年和陳寅恪等人是帶著某種「先見」去留學的，傅斯年在出國前就已經服膺胡適的實證主義，認爲社會科學遠遠算不上眞正的科學，在對心理學失望後從而轉向東方歷史語言學，比較考據學等實證性很強的學問。而如陳寅恪則是帶著預流的心態，與歐美漢學在有關中國境內民族歷史的學問方面爭勝，這一方面出於對歐美漢學家掌握的敦煌文書等材料的重視，另一方面也有葛兆光教授所說的民族主義的考慮。〔註 56〕桑兵教授也認爲：「20 世紀前半葉，社會科學侵入史學已成大勢所趨，但所使用的理論、方法及所取得的成果，還不能得到普遍公認。加上國際漢學界語文學派佔據優勢，對中國發生直接影響，中國學術界普遍存在與之爭勝的迫切心情」。〔註 57〕上述實證主義和民族主義等偏好，在傅斯年陳寅恪留學前就已經部分深入其內心，所以東方歷史語言學成了他們共同的選擇。而上一代歐美留學派，

〔註 56〕葛兆光：《預流的學問：重返學術史看陳寅恪的意義》，《文史哲》2015 年第 5 期。

〔註 57〕桑兵著：《晚清民國的國學研究》，上海古籍出版社，2001 年，第 85 頁。

則大多在出國前沒有非常明確的目的方向，比較開放地學習歐美院校中各種史學流派，尤其是新興的史學社會科學化趨勢也被他們把握到了。可謂是無心插柳柳成蔭，在史學潮流趨新方面，上一代留學生反倒走在了下一代的前面。〔註 58〕

〔註 58〕相關問題可以參見陳峰:《趨新反入舊:傅斯年、史語所與西方史學潮流》,《文史哲》2008 年第 3 期。

參考文獻

一、論著

1. 朱希祖著：《中國史學通論》，商務印書館，2015 年。
2. 朱希祖著：《朱希祖日記》，中華書局，2012 年。
3. 葛信益、啓功整理：《沈兼士學術論文集》，中華書局，1986 年。
4. 陳鬯宬著：《陳鬯宬集》，中華書局，1995 年。
5. 蔡元培著；高平叔編：《蔡元培全集》，中華書局，1984 年。
6. 何炳松譯著：《新史學 歷史研究法 通史新義》，吉林人民出版社，2013 年。
7. 傅振倫著：《七十年所見所聞》，華東師範大學出版社，1997 年。
8. 李守常著：《史學要論》，河北教育出版社，2000 年。
9. 李璜著：《學鈍室回憶錄》，傳記文學出版社，1978 年。
10. 李璜著：《歷史學與社會科學》，東南書店，1928 年。
11. 陳翰笙著；汪熙，楊小佛主編：《陳翰笙文集》，復旦大學出版社，1985 年。
12. 孫中山著：《孫中山文選》，九州出版社，2012 年。
13. 朱謙之著：《朱謙之文集》，福建教育出版社，2002 年。
14. 陳翰笙著；任雪芳整理：《四個時代的我》，中國文史出版社，1988 年。
15. 歐陽哲生主編：《傅斯年全集》，湖南教育出版社年，2003 年。
16. 傅樂成主編：《傅孟眞先生年譜》，臺北聯經事業出版社，1980 年。

17. 王汎森，潘光哲，吳政上主編：《傅斯年遺劄》，中央研究院歷史語言研究所，2011年。
18. 黄振萍，李凌已編：《傅斯年學術文化隨筆》，中國青年出版社，2001年。
19. 新潮社主編：《蔡孑民先生言行錄》，收入沈雲龍主編：《近代中國史料叢刊》，文海出版社，1966年。
20. 朱元曙，朱樂川撰：《朱希祖先生年譜長編》，中華書局，2013年。
21. 高平叔撰著：《蔡元培年譜長編》，人民教育出版社，1999年。
22. 郭衛東，牛大勇主編：《北京大學歷史學系簡史》，北京大學歷史學系，2004年。
23. 尚小明著：《北大史學系早期發展史研究（1899～1937）》，北京大學出版社，2010年。
24. 劉小雲著：《學術風氣與現代轉型——中山大學人文學科述論 1926～1949》，生活·讀書·新知三聯書店，2013年。
25. 劉龍心著：《學術與制度——學科體制與現代中國史學的建立》，新星出版社，2007年。
26. 王學典主編：《20世紀史學編年（1900～1949）》上冊，商務印書館，2014年。
27. 王學典著：《新史學與新漢學》，上海古籍出版社，2013年。
28. 桑兵著：《晚清民國的國學研究》，上海古籍出版社，2001年。
29. 王銳著：《章太炎晚年學術思想研究》，商務印書館，2014年。
30. 蔡元培研究會主編：《論蔡元培——紀念蔡元培誕辰120週年學術討論會文集》，旅遊教育出版社，1989年。
31. 蔡元培研究會主編：《蔡元培與現代中國》，北京大學出版社，2010年。
32. 金林祥著：《思想自由 兼容並包：北京大學校長蔡元培》，山東教育出版社，2004年。
33. 房鑫亮著：《忠信篤敬：何炳松傳》，浙江人民出版社，2006年。
34. 王效挺，黃文一主編：《戰鬥在北大的共產黨人——1920.10～1949.2 北大地下黨概況》，北京大學出版社，1991年。
35. 王汎森著：《傅斯年：中國歷史與政治中的個體生命》，生活·讀書·新知三聯書店，2012年。
36. 〔美〕塞利格曼（Edwin R.A.Seligman）著；陳石孚譯；陶孟和校：《經濟史觀》，商務印書館，1920年。
37. 〔日〕速水滉著；陶孟和譯：《現代心理學》，北京大學出版社，1922年。
38. Roger Chickering , Karl Lamprecht： a German academic life（1856～1915），Humanities Press International, 1942.

二、論文

1. 朱希祖：《北京大學史學系過去之略史與將來之希望》，原載於《國立北京大學卅一週年紀念刊》（1929 年）。
2. 朱希祖：《新史學・序》，收入〔美〕魯濱孫著；何炳松譯：《新史學》，廣西師範大學出版社，2005 年。
3. 朱希祖：《中國古代文學上的社會心理》，《新青年》，1921 年第 5 期。
4. 謝興堯：《紅樓一角》，《子曰叢刊》第 2 輯，1948 年 6 月。
5. 周文玖：《朱希祖史學略論》，《史學史研究》，2004 年第 4 期。
6. 周文玖：《朱希祖與中央研究院史語所》，《史學史研究》，2013 年第 4 期。
7. 周文玖：《朱希祖與中國史學》，《史學史研究》，1998 年第 3 期。
8. 周文玖：《朱希祖與中國現代史學體系的建立——以他與北京大學史學系的關係爲考察中心》，魯東大學學報（哲學社會科學版），2006 年第 1 期。
9. 周文玖：《傅斯年、朱希祖、朱謙之的交往與學術》，《史學史研究》，2006 年第 1 期。
10. 劉召興，田嵩燕：《朱希祖與胡適——兼及章門弟子與英美派在北大的歷史關係》，《東方論壇》，2006 年第 6 期。
11. 劉召興：《朱希祖與「史学二陳」》，《魯迅研究月刊》，2008 年第 6 期。
12. 盧毅：《章門弟子與中國近代史學轉型》，《史學月刊》，2006 年第 10 期。
13. 王愛衛：《朱希祖與蔡元培——與丁龍嘉教授的商榷》，《德州學院學報》，2006 年第 3 期。
14. 王愛衛：《評朱希祖的〈中國史學通論〉》，《德州學院學報》，2006 年第 5 期。
15. 李琳：《朱希祖的學術經歷與史學思想》，《法制與社會》，2017 年第 5 期。
16. 歐陽哲生：《李大釗史學理論著述管窺》，收入張順洪，步平，卜憲群主編：《馬克思主義史學理論研究》第 1 輯，中國社會科學出版社，2012 年。
17. 黃進興《中國近代史學的雙重危機：討論「新史學」的誕生受其所面臨的困境》，收入《中國文化研究所學報》新第 6 期，1997 年。
18. 李孝遷：《美國魯濱遜新史學派在中國的迴響》（上），《東方論壇》，2006 年第 1 期。
19. 李孝遷：《美國魯濱遜新史學派在中國的迴響》（下），《東方論壇》，2006 年第 1 期。
20. 曹天忠，楊思機：《「現代史學派」與中國現代史學的「社會科學化」》，《思與言》第 44 卷第 2 期，2006 年。

21. 王晴佳：《論二十世紀中國史學的方向性轉折》，《中華文史論叢》第 62 輯。
22. 君素：《1929 年中國關於社會科學的翻譯界》，《新思潮》，1929 年第 2、3 期合刊。
23. 葛兆光：《預流的學問：重返學術史看陳寅恪的意義》，《文史哲》2015 年第 5 期。
24. 仲偉民；張銘雨：《20 世紀上半葉中國歷史學的社會科學化——以清華學人爲中心的考察》，《北京師範大學學報（社會科學版）》，2016 年第 2 期。
25. 陳峰：《趨新反入舊：傅斯年、史語所與西方史學潮流》，《文史哲》2008 年第 3 期。
26. 王愛衛：《朱希祖史學研究》，南開博士論文 2009 年。
27. 張世國：《北京大學史學系早期的初步發展》，北大碩士論文 2004 年。
28. 陳紫薇：《中央研究院社會研究所探究》，華東師範大學碩士論文，2009 年。
29. 姜萌：《從「新史學」到「新漢學」——1901～1929 年中國史學發展史稿》，山東大學碩士論文，2007 年。

三、史料彙編

1. 朱希祖：《致羅香林》，收入朱元曙，朱樂川撰：《朱希祖先生年譜長編》，中華書局，2013 年。
2. 朱希祖講；東村記：《史學論緒》，收入朱元曙，朱樂川撰：《朱希祖先生年譜長編》，中華書局，2013 年。
3. 《奏定大學堂章程》，收入陳元暉主編；璩鑫圭、唐良炎編：《中國近代教育史資料彙編・學制演變》，上海教育出版社，1993 年。
4. 《北京大學文、理、法科本、預科改定課程一覽》，收入潘懋元、劉海峰編：《中國近代教育史資料彙編・高等教育》，上海教育出版社，1993 年。
5. 《文科本科現行課程》，《北京大學日刊》，1917 年 11 月 29 日。
6. 《文預科七年度第一學期課程表》，《北京大學日刊》，1917 年 9 月 14 日。
7. 《本校擬在專門以上各學校校長會議提出討論之問題》，《北京大學日刊》，1918 年 11 月 8 日。
8. 《評議會布告》，《北京大學日刊》，1919 年 8 月 16 日。
9. 《文本科史學系三二一學年課程時間表》，《北京大學日刊》，1919 年 10 月 24 日。

10. 《教務長布告》，《北京大學日刊》，1919 年 12 月 10 日。
11. 《史學系課程指導書（十二至十三年度）》，《北京大學日刊》，1923 年 10 月 29 日。
12. 《史學系課程說明書》，《北京大學日刊》，1920 年 10 月 19 日。
13. 《史學系本年科目》，《北京大學日刊》，1921 年 10 月 19 日。
14. 《史學系課程指導書（十三年至十四年）》，《北京大學日刊》，1924 年 10 月 2 日。
15. 《北京大學史學系編輯中國史條例》，《北京大學日刊》，1921 年 10 月 19 日。
16. 《大學規程》，原載於《教育雜誌》第 5 卷第 1 號（1913 年 4 月）。
17. 《發起史學讀書會意見書》，《北京大學日刊》，1922 年 4 月 19 日。
18. 《朱逷先教授在北大史學會成立會的演說》，《北京大學日刊》，1922 年 11 月 24 日。
19. 《史學研究會開會紀事》，《北京大學日刊》，1925 年 11 月 30 日。
20. 《註冊部通告》，《北京大學日刊》，1920 年 10 月 1 日。
21. 《楊棟林教授在本校史學會成立會的演說》，《北京大學日刊》，1922 年 11 月 28 日。
22. 《圖書部典書課通告》，《北京大學日刊》，1920 年 10 月 7 日。
23. 《國立北京大學史學系課程指導書（續）》，《北京大學日刊》，1925 年 10 月 12 日。
24. 《哲學系課程一覽》，《北京大學日刊》，1922 年 10 月 9 日。
25. 朱希祖：《朱逷先教授在北大史學會成立會的演說》，《北京大學日刊》，1922 年 11 月 24 日。
26. 《史學系課程指導書（十五年至十六年度）》，《北京大學日刊》，1927 年 1 月 12 日。
27. 《史學系課程指導書（十九年至二十年度）》，《北京大學日刊》，1930 年 10 月 16 日。
28. 《史學系主任致院長函》，《北京大學日刊》，1929 年 8 月 5 日。
29. 《院長復史學系主任函》，《北京大學日刊》，1929 年 8 月 5 日。
30. 《史學系主任朱希祖先生致陳代校長書》，《北京大學日刊》，1929 年 12 月 9 日。
31. 《辯駁〈北京大學史學系全體學生驅逐主任朱希祖宣言〉》，《北京大學日刊》，1930 年 12 月 9 日。
32. 《國民政府令》，收入王學珍、郭建榮主編：《北京大學史料》第二卷上冊。

33. 國立中山大學編：《國立中山大學一覽》，國立中山大學，1920 年。
34. 《國立廣東大學週刊．一週年紀念刊》，1925 年。
35. 《史學門課程表》，收入廈門大學編：《廈門大學布告》，廈門大學，1924 年～1925 年。
36. 《1924～1926 廈門大學文科教師履歷一覽表》，劉釗等主編：《廈大史學》第 1 輯，廈門大學出版社，2005 年。
37. 蔣廷黻：《歷史學系概況》，收入清華大學校史研究室編：《清華大學史料選編》第二卷（上），清華大學出版社，1991 年。
38. 國立中山大學文學院編印：《國立中山大學文學院課程總目 第三史學系》，1933 年。
39. 《文學院歷哲社三學員同樂記》，《國立中山大學日報》，1932 年 12 月 26 日。
40. 《北京大學學生會暑期委員會 7 月 30 日會議十項決議》，《河北民國日報》，1929 年 7 月 31 日。
41. 《國立北京大學史學系課程指導書 （民國二十年至二十一年度）》，北京大學檔案館，BD1930014。

致　謝

感謝三年來山東大學各位老師的關心和指導，其中尤其感謝我的碩士導師陳峰老師，此外還要感謝王學典老師，張富祥老師，李平生老師，楊華老師，李揚眉老師，郭震旦老師；我還想感謝我本科就讀的四川大學諸位老師的培養和幫助，尤其是王東傑老師和呂和應老師；另外還要感謝論文答辯時校外專家李振宏老師和仲偉民老師的指導；最後我需要感謝的還有我的父母，以及從小關心我的老師和朋友。